Mady

Le retour au camp Bear Town

Véronique Dubois

Catalogage avant publication de Bibliothèque et Archives nationales du Québec et Bibliothèque et Archives Canada

Dubois, Véronique, 1976-

Mady

Sommaire: t. 5. Le retour au camp Bear Town.

Pour les jeunes de 10 ans et plus.

ISBN 978-2-89595-605-1 (v. 5)

I. Titre. II. Titre: Le retour au camp Bear Town.

PS8607.U219M32 2010   jC843'.6   C2010-941166-8
PS9607.U219M32 2010

© 2011 Boomerang éditeur jeunesse inc.

Auteure : Véronique Dubois
Révision : Nadine Elsliger et Sonia Consentino
Correction : Christine Barozzi et Anne-Marie Théorêt
Illustration de la couverture : Sophie Wilkins
Graphisme : Julie Deschênes et Mika

Dépôt légal — Bibliothèque et Archives nationales du Québec, 3ᵉ trimestre 2011

ISBN 978-2-89595-605-1

Gouvernement du Québec — Programme de crédit d'impôt pour l'édition de livres — Gestion SODEC

Boomerang éditeur jeunesse remercie la SODEC pour l'aide accordée à son programme éditorial.

Nous reconnaissons l'aide financière du gouvernement du Canada par l'entremise du Fonds du livre du Canada (FLC) pour nos activités d'édition.

Imprimé au Canada

*À tous les lecteurs et les lectrices
qui suivent les aventures de Mady.
Merci de me lire !*

*Un gros merci à mes amies.
Véro xx*

Table des matières

Nouvelle inattendue 11

Le grand départ 29

L'arrivée au camp Bear Town 35

La marche infernale 57

L'appel au loup 77

Jour 2
La grosse vie sale! 93

La rivière aux brochets 109

Le portage...
une invention masochiste! 147

La construction la plus
compliquée de ma vie! 167

La mine secrète 187

L'initiation d'Emma 203

Les tipis 211

La randonnée sur la rivière 237

Le retour de Cerf 251

Le retour à Montréal 277

Nouvelle
inattendue

Dur... dur de faire sa valise!
À deux jours du départ pour
le camp, voici ce qui s'est passé

Je ne pensais pas que faire mon sac pour le camp aurait été aussi dur. En fait, c'est à mon cell que je puisais l'énergie pour terminer. Emma tentait de m'encourager.

— Voyons, c'est quand même pas si pire que ça ?

— Parle pour toi ! J'en arrache avec la liste des choses à apporter ! Il ne faut pas avoir plus qu'un sac à dos pour quatre semaines ! À part de ça, ce n'est pas censé être vous autres, les filles, qui avez de la misère à fermer vos valises ?

Emma, d'emblée, a pris sa petite voix mielleuse.

— Tu sais bien que je ne suis pas comme les autres, moi !

J'ai éclaté de rire et je me suis ramolli un peu.

— N'empêche que j'aurais quand même aimé que tu puisses venir m'aider à terminer cette corvée! Si j'oublie de m'apporter des bobettes, ça sera de ta faute! Tu me passeras les tiennes!

Elle a pouffé de rire.

— Tu es stupide!

J'ai fait la moue même si elle ne pouvait me voir au bout du fil.

— C'est pour ça que tu m'aimes!

C'est là qu'un bruit de chaise qui frotté par terre et un cri perçant m'ont quasiment crevé le tympan.

— Qu'est-ce que c'est que ça?

— Maudit! Ah! Y faut que je raccroche, le petit vient de tomber en bas de sa chaise! J'savais pas que c'était si dangereux de faire du dessin!

— Ok, mais tu me rappelles ce soir, hein?

— Oui!

— Hey!

Emma avait déjà raccroché. Elle avait commencé à garder tout de suite après Noël, trois soirs par semaine, chez un ami de son père qui travaille au magasin. C'était bien, parce que ça lui faisait de l'argent de poche, mais je ne la voyais plus beaucoup la semaine. Cela me donnait le goût à moi aussi de me trouver un petit boulot, sans savoir quoi. De toute façon, dans deux jours, c'était le départ pour le camp et, à ce moment-là, j'aurais tout le temps d'y penser. Aussi, Emma ne pourrait pas garder pendant ce temps et j'étais pas mal content de pouvoir la retrouver.

J'ai jeté un coup d'œil rapide à ma chambre sens dessus dessous.

— Ah, c'est l'bordel !

Dans son vivarium, Gilbert m'a regardé comme un zombie.

— Tu veux ma photo, Gilbert ?

— Dommage qu'il ne sache pas parler ! J'aurais bien des questions à lui poser !

J'ai sursauté et, en me retournant, je suis tombé face à face avec ma mère qui venait de sortir de la salle de bain.

— Tu m'as fait une super frousse ! Je ne t'avais pas entendue monter.

Justine, toujours sérieuse, s'est contentée de hocher de la tête.

— Peux-tu descendre, s'il te plaît ?

— Mais il faut absolument que je termine mon sac à dos !

Ma mère a pris un air tourmenté.

— Pourquoi tu discutes, là ?

Elle agitait ses doigts et me paraissait plus pâle que d'habitude.

— Ok, je descends derrière toi.

Au salon, j'ai été étonné de me retrouver devant ma grand-mère Thérèse en train de jouer nerveusement avec le coussin du sofa. Elle le tournait, le déposait, le reprenait.

— Assieds-toi, tu veux…

Ma mère venait de prendre place à côté de sa mère et moi je me suis rapidement assis sur le coin de la table du salon. Je n'avais pas l'intention de passer bien du temps à jaser.

— Salut, grand-maman !

Elle a pincé ses vieilles lèvres ridées.

— Bon après-midi, mon garçon…

Elle était vraiment bizarre. J'ai juste eu le temps de me retourner vers ma mère pour demander ce qui se passait que cette dernière commençait à sangloter. Soudain, mon sang n'a fait qu'un tour. Papa ? Il était arrivé quelque chose à mon père ? Affolé, j'ai posé les yeux sur ma grand-mère.

— Mais qu'est-ce que vous avez, toutes les deux ?

Grand-maman m'a semblé bien triste, tout à coup. Elle a laissé tomber la phrase comme on demande un autre verre de lait.

— J'ai le cancer.

J'ai jeté un coup d'œil vers ma mère qui, visiblement, était effondrée.

— Quoi ? Mais voyons donc, grand-maman ! Tu es en forme ! À part ton rhumatisme, ta santé est bonne, non ?

Thérèse a enlacé ma mère qui n'était plus qu'une épave. Un silence pesant est tombé dans la pièce.

— Je… justement, mon rhumatisme… s'est avéré bien plus grave que je le pensais… J'ai négligé d'aller plus loin et de passer des tests… je croyais que c'était bénin, mais… le mal a beaucoup empiré le mois dernier et ta mère m'a forcée à me rendre à l'hôpital, où j'ai subi des examens poussés. Malheureusement, j'ai le cancer des os, mon chéri… Il paraît que j'en ai pour un mois… tout au plus… J'en suis à un stade très avancé. Le docteur était étonné que j'aie enduré cette douleur sans broncher.

— Mais…

Je ne savais pas quoi répondre. Plus rien ne serait pareil, sans grand-maman…

— Alors il faut que tu ailles à l'hôpital ?

Justine, qui commençait à se reprendre un peu, s'est mouchée bruyamment et a soupiré.

— Il est hors de question qu'elle aille terminer sa vie dans une chambre d'hôpital ! Je ne veux pas ! J'ai loué un lit spécialement conçu pour les gens malades et je vais transformer le salon pour y installer maman.

Thérèse a tiqué. C'était évident qu'elle n'appréciait pas que sa fille se sacrifie comme ça pour la soigner. Elle a fini par protester.

— Tu devrais me laisser aller au centre qui s'occupe des gens qui n'en ont plus pour longtemps. Ce n'est pas bien de mettre ta vie en veilleuse comme ça.

J'étais complètement défait. J'ignorais totalement que cette horrible nouvelle me pendait au bout du nez. Franchement, j'étais à mille lieues de m'imaginer que ma grand-mère Thérèse souffrait à ce point. J'étais dans un rêve ou quoi ?

— Je vais aussi rester avec toi, grand-maman. Maman va avoir besoin de moi pour s'occuper de toi et je ne peux pas aller au camp dans ces conditions !

Thérèse a haussé le ton.

— Pardon ?! Il n'en est pas question, petit !
Il y a assez de ta mère qui rouspète ! Toi, tu
vas aller à ce camp !

— Mais…

Mes lèvres tremblaient de peine et de rage.
La vie était injuste.

— C'est que… qu'est-ce que je vais faire,
sans toi ? Et si… si tu n'es plus là à mon retour ?

Je n'ai pas pu m'empêcher de me jeter
dans ses bras. Je pleurais à l'idée de la perdre
comme ça à petit feu, mais aussi en pensant à
maman qui, après, allait vraiment se retrouver
seule et fragile comme une brindille. J'avais de
la peine pour elle.

Thérèse s'est relevée péniblement et a
demandé à ma mère de lui apporter sa marchette.

Le décompte final

Assis au parc entre Édouardo et Josée, je
n'en menais pas large. Emma finissait de travailler dans moins d'une demi-heure et j'attendais son arrivée avec impatience.

— Je pense que tu devrais écouter ta grand-
mère et venir quand même au camp avec nous.

De plus, ce n'est pas n'importe quel camp : c'est le camp nomade, un des plus durs ! On a été choisis parmi un grand nombre de candidats. Tu ne peux pas tout laisser tomber !

Édouardo scrutait mon regard.

— Allez, mon vieux, reprends-toi ! Te morfondre ne changera rien.

— Je le sais, mais… il se peut qu'elle ne soit plus là à mon retour.

— Hum…

Josée a posé sa main sur la mienne.

— Moi, je te comprends. Quoi que tu décides, ça restera ta décision et je la respecte, Mady. Je crois que tu es devant un choix bien difficile. Je sais que le camp nomade à Bear Town est très important pour toi, alors… prends le temps de bien y réfléchir.

— Mouais…

J'avais les idées brouillées, je ne savais plus quoi penser. Édouardo m'a serré les épaules.

— Le dilemme n'est pas trop compliqué, d'après ce que j'ai compris… ou tu lui fais tes adieux tout de suite, ou ce sera dans un mois.

Josée a haussé le ton.

— Maudit que t'es plate !

— Non, ça va, Josée. C'est qu'il a raison, après tout. Il dit les vraies affaires.

Le silence est tombé sur notre petit groupe et j'en avais bien besoin. Toutefois, ça n'a pas duré longtemps : mon cell a sonné.

— Oui ?

— C'est moi ! Vous êtes où ?

Emma venait nous rejoindre. Ce n'était pas trop tôt.

— Au parc.

— J'arrive !

— Je t'attends.

Édouardo s'est levé et Josée l'a suivi en silence.

— Je pense qu'on va te laisser jaser de ça avec Emma. Peut-être que tu vas pouvoir trouver la réponse à ta question, avec elle. Je veux juste te redire que je serais vraiment déçu si tu n'étais pas dans l'autobus dans deux jours, mais moi aussi, je comprendrais.

Josée et lui se sont envolés bras dessus bras dessous dans la brunante. Je les ai suivis du regard jusqu'à ce qu'ils sortent du parc. Comme si Josée s'en doutait, elle s'est retournée tout juste avant de traverser la clôture pour m'envoyer la main une dernière fois.

Je suis resté les yeux dans le vide un bon moment. À soupirer, à ressasser la question en long et en large dans ma tête. Je n'arrivais pas à comprendre comment une chose pareille pouvait frapper ma grand-mère. Le cancer... Elle qui était si gentille, si prévenante. Plein d'images d'elle m'apparaissaient soudainement. Des souvenirs de quand j'étais petit... Mes premiers bobos... La première fois qu'elle m'avait emmené au cinéma... Mes premiers biscuits aux pépites de chocolat avec elle quand j'avais mis une tasse de sel plutôt qu'une de sucre... sa réaction... son rire aux éclats quand j'avais croqué dedans... J'étais vraiment le dernier des ingrats si je partais pour le camp. Cependant, Emma n'allait pas s'empêcher d'y participer quatre semaines si, moi, je n'y allais pas. C'était le pire choix que j'avais eu à faire dans ma vie.

Deux grosses larmes se frayaient un chemin sur mes joues quand Emma est enfin arrivée à mes côtés.

— Hey ! Qu'est-ce qui se passe ?

Je me suis essuyé les yeux à la hâte. Je ne voulais pas qu'elle me trouve bébé.

— Je crois que je ne pourrai pas aller au camp.

Emma a sursauté.

— Quoi ? Tu débloques ou quoi ?

J'ai mis ma main sur sa bouche.

— Attends avant de t'emballer. Il faut que je t'explique. C'est grand-maman Thérèse... Elle... elle vient de m'apprendre qu'elle a un cancer des os et le docteur lui a annoncé qu'elle en avait à peine pour un mois à vivre. Il semblerait qu'après, ce... ce sera terminé.

Emma, la bouche grande ouverte, s'est laissée tomber sur la table à pique-nique où j'étais déjà assis.

— Ben ça... Tu me donnes tout un choc... Moi qui pensais qu'on en avait fini avec ces histoires de mort et d'hôpital ! Depuis que papa va mieux, je pensais qu'on n'en entendrait plus parler. J'me sens mal, tout à coup...

— Je sais, moi aussi.

J'ai reniflé un bon coup.

— Tu ne veux plus partir au camp... Je... Enfin, je comprends. Je suis persuadée que tu vas rater beaucoup, mais c'est sûrement la chose à faire. Alors je vais rester moi aussi, avec toi.

Je me sentais comme vissé sur la table à pique-nique. Je ne pouvais pas croire qu'elle était prête à sacrifier ses vacances pour moi !

C'était beaucoup trop lui demander. J'avais peur qu'elle m'en tienne rigueur un jour.

— Ne fais pas ça, je ne veux pas que tu rates ça.

Emma a levé la main droite en l'air.

— Arrête, tu veux ! Je respecte ton choix, alors respecte le mien. Si tu restes, eh bien, je reste aussi. C'est hors de question que je te laisse comme ça. De toute façon, je m'ennuierais bien trop.

Je l'ai prise dans mes bras.

— Si tu savais combien je suis triste. On n'est jamais prêt pour ça. En fait, c'est comme si elle était immortelle, pour moi. Je n'avais jamais pensé qu'elle puisse disparaître ! Maman va se retrouver seule. C'est ça qui me fait le plus peur, je pense.

Emma m'a pincé le menton.

— Elle t'a, toi ! Et tu oublies ses amis. Elle a aussi mon père, qui n'hésitera pas à l'aider, tu le sais.

J'ai acquiescé bien malgré moi.

— Je suis tanné d'avoir toujours des drames dans les pattes !

— Oh ! Ce n'est que la vie, Mady. C'est comme ça.

Emma démontrait une maturité que je n'avais pas toujours. Depuis l'aventure au Mexique et la fuite de sa mère, la maladie du cœur de Mathieu, elle était devenue beaucoup plus forte, plus sereine. Quant à moi, j'ai toujours eu un petit côté révolté et, dans les problèmes, il se faisait toujours un malin plaisir de ressortir.

— Je voudrais qu'on aille la voir… grand-maman.

Emma a sauté sur ses pieds.

— Elle est où?

— Je pense qu'elle est chez elle. Maman est allée l'aider à faire sa valise et prendre ce dont elle a besoin pour habiter chez nous. Elle va l'accueillir à la maison et traverser avec elle ce qui s'en vient.

J'avais comme une énorme boule dans la gorge en disant ça. C'était dur à croire, mais c'était la triste réalité.

Rencontre décisive

On s'est rendus à la maison de grand-maman et c'est Emma qui a grimpé sur le balcon la première. La nouvelle auto de ma mère était bien dans la cour. Justine avait fini par trouver une vieille Toyota Tercel 2005 tout juste après Noël. Elle était un peu rouillée, mais elle roulait très bien, c'est vraiment tout ce qui comptait.

Emma a cogné à la porte et c'est grand-maman qui a répondu, toute fragile derrière sa marchette.

— Oh, Mady! Ta mère est sortie à pied au dépanneur… j'avais envie de chocolat et elle avait besoin de prendre l'air. Bonsoir, Emma.

Elle s'est retournée et a rebroussé chemin vers son fauteuil en faisant traîner ses pieds derrière sa marchette. Comme elle semblait avoir vieilli, tout à coup… Ça m'explosait au visage.

— Bonsoir, Thérèse.

Emma prenait elle aussi conscience qu'elle était très malade.

— Tu voulais me parler, fiston? Tu n'es sûrement pas venu pour me pleurer dans les bras comme tantôt?

Je suis rentré, Emma sur les talons. Thérèse nous a pointé de ses petits doigts plissés son vieux divan.

— J'aurais bien voulu vous donner de la liqueur pis des chips, mais j'ai trop mal aux jambes pour me lever.

— Laisse faire, grand-maman! On n'est pas venus pour ça pantoute!

Elle a rigolé puis s'est littéralement étouffée. Je me suis jeté sur elle pour l'aider, mais elle a refusé de la main.

— Ça va, mon grand... Ça va...

Elle a repris son souffle et m'a fixé. Emma se contentait de la dévisager. Ma grand-mère était tout à coup si vulnérable et amaigrie qu'Emma n'avait pas l'air d'en revenir.

— Vous partez après-demain? À quelle heure, au juste?

J'ai soupiré.

— Grand-maman, je te l'ai dit tantôt. Je reste avec toi!

Thérèse a secoué sa marchette prise dans le tapis.

— Pas question! Tu vas aller à ton camp!

— Mais grand-maman...

J'avais perdu tous mes moyens. Je me sentais comme un petit garçon de cinq ans qui ne comprend pas trop.

— … je ne peux pas te laisser.

— Il va falloir, parce que je ne veux pas que tu aies ce souvenir de moi… un souvenir de maladie et de tristesse. Ça, non !

Ses yeux brillaient et des larmes étaient sur le point de couler.

— Je ne veux pas que tu me voies dépérir et… et mourir, tiens !

Je ne savais pas quoi dire. J'étais vraiment triste et perdu.

— Tu… tu ne peux pas dire ça.

Thérèse a haussé les épaules.

— À quoi bon se mentir… je sais très bien ce qui m'attend et je ne tiens pas à ce que tu voies ça. Déjà que ta mère se sacrifie pour moi…

J'ai déposé ma main sur son bras et je me suis mis à genoux devant elle.

— Maman ne se sacrifie pas, grand-maman, elle t'aime et prend soin de toi. Ce n'est pas pareil, ça !

Thérèse s'est tamponné les yeux avec un vieux mouchoir et m'a regardé en face.

— Si je suis condamnée, Mady… si c'est vrai que je pars bientôt rejoindre ton grand-père… alors… rends-moi service : amuse-toi pour deux, là-bas… Je veux que tu y ailles.

J'ai éclaté en sanglots de nouveau et j'ai senti le besoin irrépressible de la prendre dans mes bras. Elle m'a serré tendrement.

— Faisons nos adieux tout de suite, alors, mon grand...

Je l'ai fixée intensément.

— Je t'interdis de dire ça, grand-maman. Tu seras là quand je reviendrai.

Elle a acquiescé en silence tandis que ma mère cognait à la porte pour ensuite entrer dans le salon et nous trouver enlacés. Elle a déposé son petit sac sur la table d'entrée et a jeté sa sacoche par terre.

— Je t'ai rapporté du chocolat, maman.

J'ai reculé pour laisser ma grand-mère se ressaisir et je me suis levé. C'était plus que je pouvais en supporter. Je suis sorti en courant. J'ai couru le plus vite que je le pouvais, jusqu'à ce que je sois obligé de m'arrêter pour reprendre mon souffle et mon médicament pour l'asthme. Épuisé, je me suis laissé tomber dans le gazon sur le bord du chemin.

Quand Emma m'a rejoint, elle s'est étendue à côté de moi et m'a pris la main. Elle ne m'a rien dit, elle n'en avait pas besoin.

Le grand départ

L'atmosphère était beaucoup plus lourde qu'à mon départ l'été précédent. D'abord, papa, Julie et les filles n'étaient pas là, parce qu'un rendez-vous chez le pédiatre des jumelles les retenait. Il n'y avait que ma mère qui se tenait debout à côté de Mathieu, occupé à serrer Emma dans ses bras pour lui dire au revoir. Bien sûr, il y avait aussi Édouardo avec son père et Josée avec ses parents, mais je ne voyais que ma mère avec ses grands yeux tristes et je me sentais le dernier des crétins de la laisser seule avec le fardeau douloureux de s'occuper de grand-maman. Elle m'a tendu la main et je l'ai serrée très fort.

— Tu vas me manquer, mon gars...

Déjà que j'étais nul dans les conversations qui entouraient les départs, là, j'étais à bout de nerfs.

— Maman, tu es certaine que tu n'aimes pas mieux que je reste ? Je trouve ça injuste de te laisser seule, là, maintenant...

Ma mère a poussé le plus gros soupir que j'avais jamais entendu.

— C'est mon rôle, Mady… et grand-maman ne veut pas que tu la voies autrement. Après tout, il faut respecter ça, non ?

J'ai baissé les yeux.

— Mais des fois que… tu pourrais avoir besoin de moi ?

Je n'avais pas remarqué que Mathieu nous écoutait. Il a déposé une main réconfortante sur l'épaule de ma mère.

— Je vais prendre soin d'elle pendant que tu ne seras pas là.

J'ai acquiescé en silence. J'ai senti la main d'Emma se glisser dans la mienne et le chauffeur nous a crié que le moment du départ était venu, suivi d'un : « Je n'ai pas juste ça à faire ! » Alors, on s'est exécutés.

Bien assis dans l'autobus qui s'éloignait, j'ai regardé ma mère qui serrait sa veste de jean pour se protéger du petit vent frais, jusqu'à ce que mon cou ne puisse plus supporter la tension. L'autobus a tourné le coin et c'était le point de non-retour. Cette fois, il n'y avait que trois personnes que je connaissais parmi les passagers. Les autres venaient d'écoles différentes en ville. Josée et Édouardo étaient assis côte à côte bien sagement, tout comme Emma et moi, tout près d'eux. C'est Emma qui a brisé le silence en premier.

— Yep ! C'est vrai, là ! On est de retour dans le bois !

Un petit frisson de nervosité m'a chatouillé le ventre et j'ai dû avouer que, malgré ce qui se passait dans ma famille, j'avais plutôt hâte de revoir Cerf et les autres.

— Cette fois, ce ne sera pas une partie de plaisir !

Emma a confirmé d'un signe de tête.

— Ce n'est pas censé, en effet. Le feuillet publicitaire précisait que le camp nomade ne s'adressait pas aux débutants ou aux mauviettes !

— Oups ! J'aurai peut-être dû le lire comme il faut !

Emma m'a tapé sur l'épaule.

— Quoi ?

— Arrête donc de faire semblant que t'es pas capable de le réussir !

— J'fais pas semblant ! Du canot en rapides, du portage, de l'escalade, de la survie en forêt, de la marche intensive, des explications sur les plantes médicinales, de la confection d'abri, des activités sur les animaux, une expérience solitaire d'introspection, l'art du feu… c'est de l'inconnu, pour moi! À part de ça, c'est quoi, ça, l'art du feu? Ne me dis pas qu'on va être obligés d'en créer à partir d'une botte de mousse?

Emma a éclaté de rire.

— C'est vrai que, dit comme ça, ça n'a pas l'air d'être du gâteau!

— Non, pis encore moins de la tarte!

Édouardo s'est penché au-dessus de Josée en riant.

— J'vous écoute, là… êtes-vous certains qu'on s'en va à la même place?

J'ai claqué la langue et adressé un petit clin d'œil à Josée.

— Ton chum commence à avoir peur!

Édouardo a grogné.

— Non! J'ai juste un petit peu les jetons… Moi, ce qui m'inquiète le plus, c'est la survie et l'art du feu. Pis l'expérience solitaire, c'est quoi? Moi, la seule expérience solitaire que je connaisse, ça se passe le matin pis ça pue!

Emma l'a poussé.

— Ah! T'es juste un gros dégueu!

Le voyage s'est déroulé dans le plaisir pendant trois heures, sans aucune interruption.

Disons que le stress nous donnait envie de lâcher notre fou!

L'arrivée au camp Bear Town

Du stress à la joie des retrouvailles!

J'étais vraiment content à l'idée de retrouver Louve et Corneille. Ma petite gang de Montréal et moi, on attendait avec impatience de revoir leurs visages familiers, sans toutefois savoir s'ils seraient là.

— Tu as reçu d'autres nouvelles de Corneille, toi?

Après avoir fait fâcher Emma à plusieurs reprises avec mes questions sur Corneille, j'avais fini par comprendre que j'étais mieux de la laisser tranquille avec cette histoire. Emma a soupiré en scrutant la foule de campeurs qui sortaient des autobus. Il y en avait de tous les âges et des moniteurs prenaient immédiatement en charge les plus jeunes.

— Non, ça va faire plusieurs mois. Je ne sais pas s'il sera présent cette année. Et toi, des nouvelles de Louve?

— Oh! Non... non, pas de nouvelles!

J'ai senti le feu envahir mes joues. J'avais menti pour la rendre jalouse. Louve ne m'avait jamais écrit et j'avais peur maintenant qu'elle le découvre si ma fausse correspondante se pointait. Je me suis alors mis à espérer qu'elle ne vienne pas cette année.

— On va aller s'asseoir là-bas, d'abord.

Elle a pointé un banc de bois en bordure du camp principal. Tout le petit groupe s'y est dirigé, Édouardo en queue. Il feignait un mal de dos sous son énorme sac à dos du surplus de l'armée.

— Ce n'était pas censé être léger, notre bagage?

Je l'ai aidé à enlever son sac, quand j'ai entendu un rire hors du commun. Emma s'est levée d'un bond.

— Corneille!

Toujours aussi blond et espiègle, il venait tout juste de faire un coup pendable à son voisin. Emma s'est mise à courir vers lui et je n'ai pas pu m'empêcher d'éprouver un brin de jalousie. D'habitude, c'était vers moi qu'elle courait comme ça!

Je me suis levé moi aussi, je me suis secoué… il fallait que je fasse confiance à Emma. J'ai marché vers lui, mais il revenait déjà vers nous, Emma pendue à son bras.

— Salut, mon vieux rouquin !

Il m'a serré la main fortement et s'est jeté dans mes bras en me tapant dans le dos amicalement.

— Salut ! Hey ! Est-ce que t'essaies de me coller un truc dans le dos, là ?

Corneille a reculé, l'air offensé, en rigolant sans retenue.

— Ben non ! Hey ! T'as pas changé !

J'allais lui retourner sa remarque, quand mon regard a été attiré vers la maison principale en bois rond. Malgré le fourmillement dans la cour de gravier et l'excitation générale, il était seul, l'air méditatif sur le bord de la rambarde. Cerf était là ! J'allais enfin le revoir ! Mes yeux se sont mis à picoter et un vif sentiment de bonheur m'a étreint le cœur et la poitrine.

J'ai posé la main sur le bras de Corneille, qui rigolait encore avec Édouardo, pour attirer son attention.

— Quoi? J'étais presque arrivé au punch de mon histoire, là!

Emma a suivi mon regard et le sien s'est illuminé lorsqu'elle l'a vu.

— Il est toujours aussi beau.

Corneille a soupiré en poussant Emma.

— Ahhhhh… Y est beau! J'vous dis, vous autres, les filles! Quand tu vas être obligée de manger des grenouilles pour lui faire plaisir, tu vas peut-être le trouver moins beau!

Emma a sursauté.

— Quoi? Des grenouilles? T'as pas changé, t'exagères tout le temps!

Corneille a ramassé son sac en riant.

— En tout cas, je vous aurai avertie, la gang!

Josée a ravalé en silence et Édouardo lui a passé la main dans le dos.

— Fais-toi-z-en pas, ma belle Josée! J'te laisserai pas manger ça! Ton mâle icitte, y va te trapper quèque chose, ti va wère!

J'ai éclaté de rire. Édouardo était marrant quand il s'y mettait. J'avais beau avoir de la peine pour ma grand-mère, n'empêche que le meilleur endroit pour moi, c'était bien d'être ici, avec mes amis.

Camp nomade

Presque tous les groupes étaient partis vers leurs moniteurs attitrés et il ne restait plus que moi, Emma, Corneille, Édouardo, Josée et deux autres gars que l'on ne connaissait pas. Cerf argenté a tranquillement descendu de la galerie du campement principal avec Faucon courageux à ses côtés. Ils n'avaient pas changé, tous les deux.

Cerf s'est arrêté devant nous d'un air solennel. Grand, mince, ses longs cheveux noirs au vent, il avait l'air encore aujourd'hui d'un noble guerrier amérindien sorti tout droit d'un livre d'histoire. Il avait un pantalon de daim ajusté dans lequel on pouvait deviner le moindre mouvement de ses muscles à chaque pas qu'il faisait. Sa veste avait l'air taillée dans le même cuir souple que le bas, sauf que des franges pendaient mollement dans les coutures qui couraient sous les bras. Il avait un charisme à toute épreuve.

Personne n'y est resté indifférent et, avant même qu'il prononce un son, un silence de plomb est tombé sur mon groupe, agité à peine quelques minutes plus tôt.

Faucon courageux était toujours aussi fière d'être à ses côtés. Elle portait, elle aussi, un pantalon de daim caramel. Une tunique brodée de perles recouvrait le tout. Décidément, ces deux-là avaient du style. Mais je me demandais pourquoi ils avaient revêtu les habits traditionnels amérindiens. Sûrement pour nous impressionner... et en fait, pour ma part, ça marchait !

— A HO !

Cerf a levé la main en souriant d'une rangée de dents blanches impeccables.

— Je suis content de vous revoir, Ours guerrier, Corneille moqueuse, Faon charmeur, Lapin fugueur, Libellule tranquille, Couguar solitaire et, enfin, Cheval fougueux. Pour ceux qui ne me connaissent pas, je suis Cerf argenté, et voici ma compatriote, Faucon courageux.

C'était la première fois que j'entendais prononcer par Cerf le nom totem de Josée, Libellule tranquille. Ça lui collait à la peau, y avait pas à dire. L'année dernière, elle n'avait pas fait le camp avec les mêmes moniteurs que nous et, en la regardant maintenant, je voyais qu'elle était très impressionnée d'être face à Cerf. Les deux autres gars avaient l'air eux aussi étonnés d'avoir ce grand Amérindien devant eux. L'un d'eux était grand avec les cheveux un peu longs et noirs, du type costaud. Son voisin, quant à lui, n'était pas plus gros qu'un pou avec des petites lunettes rondes, des cheveux blond pâle et des taches de rousseur plein les bras et la figure. Ils avaient l'air de se connaître. Ils venaient sans doute de la même école.

— Vous avez décidé de faire le camp nomade de quatre semaines. C'est le plus difficile camp que l'on puisse faire ici, à Bear Town. Toutefois, il se peut que plusieurs d'entre vous aient les yeux plus gros que la panse et que l'abandon soit une lueur d'espoir lorsque vous penserez que vous ne pourrez plus continuer. Mais sachez que seuls un manque de respect très grave ou une blessure sévère peuvent vous faire retourner chez vous ! Dès maintenant, vous êtes partie prenante du camp de la découverte personnelle. Ce camp vous fera rencontrer votre être intérieur et votre esprit. Ces quatre semaines vous demanderont de puiser à l'intérieur de vous des forces insoupçonnées, du courage, de l'endurance, de la foi en vous. Vous devrez travailler en équipe, et ce, grâce aux forces et malgré les faiblesses de chacun.

Cerf a posé ses yeux sur moi et l'amulette qui pendait fièrement à mon cou. Je l'ai vu esquisser un sourire satisfait.

— Je compte sur vous pour vous mettre tout de suite au diapason avec les autres membres de notre tribu, car c'est ce que nous sommes, à présent ! Vous aurez amplement le temps de faire connaissance dans les moments difficiles. En attendant, je vous annonce tout de suite que certains outils et des mocassins vous attendent à l'intérieur. Il doit être 10 h 30 et nous quitterons cet endroit à 11 heures. Nous mangerons en route et nous marcherons beaucoup, alors… soyez prêts !

Les murmures se sont élevés dans le groupe, puis Faucon a pris la parole.

— Venez avec moi !

Elle nous a entraînés à l'intérieur du camp principal. Sur des tables se trouvaient de nombreuses paires de mocassins.

— Vous allez devoir laisser vos espadrilles ici, puisque, pour le camp nomade, nous demandons à chacun de chausser une de ces paires de mocassins. Cela symbolisera votre appartenance à la tribu et raffermira votre engagement. Chaque pas fait avec ces mocassins vous rappellera pourquoi vous avez choisi de faire ce camp. Ce ne sera pas facile !

Emma s'est penchée pour chuchoter à mon oreille.

— Elle commence à me faire peur, là. Coudonc, d'après toi, c'est-tu si pire que ça ?

Je lui ai donné un petit bec sur la joue.

— Je ne pense pas… Fais-toi-z-en pas !

Faucon s'est approchée.

— Ours guerrier, les rapprochements sont formellement interdits, ici ! J'espère que tu t'en souviens.

Le visage d'Emma était rouge comme une tomate et le mien ne devait pas être beaucoup mieux.

— Oui… j'suis désolé.

Faucon m'a survolé de son petit regard pointu.

— Tant mieux, alors. Dépêchez-vous de choisir vos mocassins et d'aller aux toilettes. Le départ est imminent !

— Oui.

J'étais anxieux. J'allais partir dans les bois infestés d'ours avec seulement un sifflet, une hachette, une couverture métallique contre le froid, mon sac, mes vêtements, mon sac de couchage, une gamelle avec ustensiles, des mocassins, mon petit lunch que j'avais apporté de la maison et rien d'autre! Pas d'allumettes. Pas de tente. Autant dire que j'étais presque nu!

J'ai ravalé avec peine ma salive en sortant des toilettes et me suis dirigé vers le début du sentier devant le camp principal. Emma et Josée étaient déjà là, ainsi que Corneille et les deux autres gars. Ne manquait plus qu'Édouardo... qui se tenait derrière moi, d'ailleurs.

— Hey! Mon pote! Je crois qu'on n'avait pas prévu ça, hein?

— Ouin... disons que ça part pas mal raide!

— Pas de rapprochements, pas de niaiseries... du travail sur soi... ouin... j'espère que j'vais pas me faire avaler par la forêt en plus!

— Avaler?

— Ben les ours pis toute!

— Ah... Ce coup-là, tu t'arranges, Édouardo!

Il a éclaté de rire en posant sa main sur mon épaule.

— C'est quand même confortable, ces mocassins, hein ?

Je regardais mes pieds et je trouvais que c'était pas mal chic pour marcher dans la boue et dans l'eau. Il avait plu et la cour était parsemée de nombreuses flaques d'eau. J'imaginais aisément la piste dans le bois !

Cerf a levé le bras dans les airs et nous a fait signe de nous dépêcher.

Le départ des nomades en mocassins !

Mon regard allait de mes nouvelles chaussures à mes compatriotes, tous au pas cadencé. Édouardo m'a souri en jetant un regard au sentier qui commençait déjà à rétrécir à vue d'œil.

— Ouin ! Mettons que dans pas long on va se frotter aux fougères !

Un sourire en coin, le gars qui s'appelait Couguar solitaire nous suivait avec un bon rythme.

— J'aurais aimé qu'on puisse jaser un peu avant de partir. Pas toi ?

Édouardo a soupiré.

— Pour dire quoi ? Ça doit être ton gène féminin, ça, mon vieux ! Non ! Moi j'dis qu'on est mieux de partir le plus vite possible avant que tu changes d'avis !

— Ha ! Ha ! Très drôle, Lapin frimeur !

— Hey ! N'égratigne pas mon nom totem, jaloux !

Emma, qui écoutait, a éclaté de rire.

— Ouin, les gars ! Vous ne perdez pas de temps pour vous tirer la pipe ! À mon avis, vous allez être moins jasants après deux heures de marche !

Je n'en revenais pas !

— Quoi ? Deux heures ?

Couguar solitaire, qui suivait en silence juste derrière Édouardo, a rigolé.

— Il paraît qu'on va marcher six heures, aujourd'hui. Bref... y en a qui parleront plus pantoute dans pas long !

Édouardo a sursauté.

— Tu niaises, là ?

— Non ! C'est ça, le camp nomade ! Il fallait y penser avant, les gars ! Nomade... ça le dit, non ?

J'avançais avec le plus d'entrain que je pouvais y mettre.

— Ouais... c'est ça... il fallait y penser avant!

Corneille, qui avait pris les devants juste après Faucon, s'est étiré le bras pour nous faire signe de nous grouiller.

Emma a tapé dans ses mains en se retournant.

— Eh oh! Un peu de cœur, les gars! Il ne faudrait pas que les filles vous battent en arrivant avant vous!

J'avais déjà du mal à traîner mon sac à dos qui me lacérait les côtes. J'ai pris un peu de mon médicament pour l'asthme... Mieux valait prévenir que guérir!

— Perso, j'm'en fous! Tu prépareras mon lit de camp si tu arrives avant moi!

Emma m'a fait une grimace.

— Maudit macho!

Deux heures plus tard

Cerf argenté et Faucon courageux semblaient voler sur la piste à moitié évaporée sous les fougères et les petits sapins qui poussaient un peu partout. Ce n'était pas trop facile de s'y repérer et je n'aurais pas voulu me retrouver seul pour le faire. J'avais un mal de jambes colossal et une monstrueuse faim qui semblait vouloir me dévorer par en dedans.

Cerf a fini par s'arrêter au sommet d'un pic qui donnait sur une vue spectaculaire de la montagne. Plus loin, tout en bas, il y avait une fabuleuse rivière qui semblait n'être qu'un mince filet d'argent. Il s'est jeté sur la première pierre qui voulait bien supporter son poids et s'est laissé tomber lourdement. Il a soulevé la veste qu'il portait pour finalement l'enlever.

Faucon courageux a posé son regard sur lui et lui a fait un petit clin d'œil. Décidément, il se passait quelque chose entre eux… Cela se confirmerait peut-être sous peu. De toute façon, on n'avait pas le droit aux rapprochements avec les filles et ce qui était valable pour moi l'était aussi pour les autres !

Mes yeux se sont posés sur Emma et Josée qui, elles, fixaient le torse de Cerf. En me retournant de nouveau, j'ai aperçu Cerf se pencher pour ramasser son sac et fouiller dedans. Pas une once de graisse, la peau basanée, une petite cicatrice sur le biceps gauche et une ribambelle de muscles qui roulaient sous sa peau, ses longs cheveux noirs attachés avec un lacet de cuir. De quoi faire tourner la tête des filles ! J'éprouvais un brin de jalousie pour sa génétique parfaite. On était loin de mes cheveux roux et de ma musculature d'ado en puissance !

— Comme ça va faire un bon bout qu'on marche, je propose que vous mangiez maintenant le lunch que vous avez apporté !

Cerf a joint le geste à la parole et a enfourné un gros morceau de son sandwich.

Emma m'a passé la main dans les cheveux, comme si elle m'avait entendu penser et, ensemble, on a trouvé une roche qui pouvait nous accueillir. Corneille s'est faufilé près d'elle.

— J'peux m'asseoir avec vous deux ?

— Ben oui...

Je me disais que je n'avais pas fini de l'avoir dans les pattes, celui-là. Même si je faisais confiance à Emma, je savais qu'il ne la laissait pas indifférente. Mais il ne fallait pas que je capote avec ça, quand même.

— Tu as quoi dans ton lunch, Mady ?

— Un sandwich au jambon... mon dernier souvenir de la civilisation !

Elle a pouffé de rire.

— Moi, comme dernier souvenir, j'ai apporté un sandwich à la Bologne et moutarde, pas très chic!

Clin d'œil à l'appui, je lui ai révélé mes pensées dans l'oreille.

— Je te donnerais un super smack s'il n'y avait pas tous ces règlements à la noix!

Emma a rougi instantanément.

— Peut-être qu'on pourra trouver une petite cachette à un moment donné?

Elle a croqué dans son sandwich et je lui ai chuchoté dans l'oreille des mots doux.

— Cerf va venir te mettre au garde-à-vous!

Corneille a croqué dans sa pomme.

— Arrêtez, sinon j'vous dénonce!

Avec une grimace d'Emma pour toute réponse, il s'est levé pour s'étirer un peu. J'ai rajouté:

— Ce n'est pas grave… il a une liaison avec Faucon… j'en suis certain!

Emma a bu une gorgée d'eau dans sa gourde en me fixant.

— Tu crois?

— Je ne crois pas, je suis certain! T'as vu comment elle le regardait, tantôt?

— Ouin… Ce n'est pas vraiment facile à ignorer, un gars comme lui qui se promène torse nu…

J'étais vexé.

— Ah bon ?

— Ben…

Emma a soupiré.

— C'est vrai qu'il est très beau… mais c'est toi que j'aime et tu le sais, non ? En plus, il est trop vieux pour moi !

J'étais idiot.

— Je sais.

Couguar solitaire et Cheval fougueux étaient un peu plus loin derrière Faucon et Cerf. Ils mangeaient sans échanger un mot. Je me suis levé moi aussi et j'ai mis la main sur l'épaule de Corneille.

— Venez ! On va aller faire connaissance.

Emma a secoué son pantalon de toile sur lequel la mousse s'était collée.

— Je viens !

Couguar nous a observés nous approcher. Lorsque nous sommes arrivés près de lui, il a levé les yeux et m'a regardé avec un air amusé.

— Assoyez-vous.

Emma s'est installée devant lui sur un petit monticule de terre et moi je me suis contenté de m'agenouiller. Quant à Corneille, il est resté debout. J'ai tendu la main vers Couguar.

— Ours…

Je n'ai pas eu le temps de finir de me présenter qu'il complétait ma phrase.

— … guerrier, je sais.

Cheval fougueux a pris la parole en retroussant sa paire de lunettes à la John Lennon sur son nez droit et effilé.

— Ce n'est pas vraiment la peine de te présenter. J'pense que tout le monde est au courant de ce qui s'est passé l'été dernier. J'veux dire toi et ton pote, là-bas.

Il a pointé Édouardo qui, lui, venait de s'étendre de tout son long dans un coin d'herbes hautes.

Je n'étais pas certain du ton qu'il utilisait. Il a dû le sentir, car il m'a rassuré sur-le-champ.

— Ne t'en fais pas, mon vieux ! J'veux dire par là que ton exploit a fait le tour du camp ! Se battre avec un ours, ce n'est pas vraiment banal !

J'ai hoché la tête. Je n'avais pourtant pas vraiment envie d'être le gars qu'on mettait tout de suite en boîte parce que j'avais défendu Édouardo l'an passé. Je voulais faire ma place comme tout le monde dans le groupe et j'espérais que personne n'était contrarié par ça.

— Je n'ai aucune envie de me battre avec un ours cette année, alors faites gaffe !

Cheval a éclaté de rire.

— À la grosseur que j'ai, j'pense que moi aussi, j'vais passer mon tour !

Corneille en a profité :

— Mais toi et Couguar ensemble, vous pourriez faire le poids contre une maman ours, peut-être ?

Cheval a ri encore un peu en buvant une gorgée d'eau. Il a fermé son sac pour de bon.

— Couguar, t'as fini ?

— Mouais...

Corneille s'est passé la main dans les cheveux, mal à l'aise.

— Hey ! Je blaguais, les gars ! D'où mon nom Corneille moqueuse ! Vous allez voir, vous allez apprendre à me connaître ! J'suis cool, vous savez ! J'ai plein de talents cachés !

Couguar a secoué la tête en sifflant du bout des lèvres. Il n'avait pas l'air d'avoir aimé que Corneille se moque de lui.

— Je n'en doute pas.

Couguar a jeté un coup d'œil à Emma et moi, et s'est levé en attrapant son sac, ne manquant pas au passage d'accrocher le bras de Corneille… Je n'allais pas manquer ma chance.

— Et toi, Couguar ?

— Quoi ?

Il n'avait pas l'air trop sociable… d'où son adjectif « solitaire ».

— Ben… je voulais savoir… pour quelle raison tu t'es inscrit au camp nomade ?

Il a dévisagé Emma avec un sourire en coin, a attrapé sa mèche de cheveux noirs qui lui pendait devant les yeux et a regardé les montagnes au loin.

— J'ai pas choisi d'être ici… j'y suis parce que ma mère m'y a envoyé.

J'étais étonné.

— Ah !

Il a plissé les yeux et son regard s'est de nouveau porté vers moi.

— T'as d'autres questions ?

J'étais mal à l'aise.

— Euh… non.

Il a secoué la tête et s'est avancé vers Faucon et Cerf qui s'étaient levés et qui commençaient à rassembler le groupe. Son copain Cheval fougueux l'a suivi et je les ai regardés s'éloigner.

— Ouin... Comme première impression, Corneille, t'as pas manqué ton coup!

— Ce n'est pas de ma faute s'ils n'ont pas le sens de l'humour!

Emma m'a tendu la main pour que je l'aide à se relever.

— J'espère qu'on va venir à bout de s'entendre avec eux... Quatre semaines, c'est long!

La marche infernale

De la boue, de la boue et encore de la boue! J'étais plus qu'épuisé, j'étais désespéré et je n'étais pas le seul! Édouardo s'est accroché à mon sac à dos, ce qui m'a fait reculer de deux pas au lieu d'avancer.

— Hey, man! J'en peux plus, moi! J'vais capoter s'ils continuent de même!

J'étais bien d'accord.

— Je sais, mais regarde bien! On a environ cinq mètres de retard sur le groupe à l'avant!

En effet, il y avait nos deux moniteurs, Cheval fougueux, Emma, Josée, Corneille et l'autre champion pas trop jasant, là, le Couguar solitaire.

— Ouin, pis j'm'en fous, j'arrête!

Édouardo a jeté son sac dans une mare de boue et s'est écrasé les fesses sur un gros tronc d'arbre.

— Hey! Tu ne peux pas rester comme ça! Ils vont se pousser et tu vas encore nous faire perdre en forêt, pauvre twit!

Édouardo a renversé la tête en arrière et a poussé un soupir.

— J'm'en contrefous, mon homme! Plutôt crever dans la bouette que continuer!

— Idiot… Eh oh!

Cerf a stoppé sa marche et s'est retourné. Je pointais mon gros fainéant en faisant signe que je n'y étais pour rien. Édouardo se battait déjà contre une horde de moustiques enragés.

Cerf a fait signe aux autres de l'attendre et il est venu vers nous, l'air mécontent.

— Qu'est-ce qui se passe, ici?

Jetant un coup d'œil à Édouardo, je me suis avancé vers lui, en forçant contre l'effet de succion de la boue qui maintenait mes mocassins sur place contre ma volonté.

— Il est épuisé…

Cerf a froncé les sourcils.

— Lapin fugueur! Lève-toi immédiatement! Nous devons absolument arriver au point de ravitaillement avant la tombée de la nuit, sinon personne ne mangera ce soir!

Édouardo s'est énervé.

— Franchement! C'est inhumain! J'suis certain que le reste du groupe a envie d'arrêter aussi! On marche depuis ce matin et il fait presque noir!

Cerf a arqué un sourcil. Il était très contrarié.

— Je suppose que tu préfères dormir ici ? Près de la tanière d'un loup ?

Il a pointé le sol boueux où, à deux endroits, on pouvait voir, si on était bien attentif, des empreintes de pattes fraîches. Je n'aurais pas pu dire que c'était des empreintes de loup, mais si Cerf argenté le disait, pour moi c'était encore plus vrai que vrai.

— Quoi ? Des loups ?

Édouardo avait l'air complètement désemparé.

— Des loups. Et si tu ne te lèves pas tout de suite pour rejoindre le groupe, tu vas avoir des ennuis. La louve doit nous avoir repérés depuis longtemps, maintenant, et je préfère marcher si jamais nous sommes suivis.

— Suivis ?

Édouardo s'est levé d'un bond en se secouant le derrière avec frénésie.

— Je continue, alors. Mais je suis certain que je vais m'écrouler si tout ça ne se termine pas bientôt…

Cerf a fermé les yeux et il a humé l'air brumeux et frais qui commençait à nous envelopper. Il s'est étiré et a soupiré d'aise.

— Vous n'avez pas besoin de plus que ça. La nature vous procure énergie et réconfort. Écoutez...

Édouardo a reniflé. Moi, j'écoutais le plus attentivement possible en fixant mon regard fasciné sur Cerf qui semblait en communication avec la nature et autre chose qui n'était pas palpable.

— La musique... la musique des feuilles qui se balancent dans le vent.

Il a refermé les yeux un instant et a ajouté :

— Il va pleuvoir demain ! Dépêchons-nous !

J'étais époustouflé ! Il était mystérieux et tellement génial ! Je lui ai emboîté le pas, Édouardo sur les talons.

On a marché, je dirais sûrement deux heures de plus. Je ne sentais plus mes jambes, mais au moins j'étais avec Emma. J'ai déposé mon sac à côté du sien et je me suis laissé tomber dessus. Cerf et Faucon nous avaient emmenés dans une sorte de rond défriché à même la forêt dense. Un petit ruisseau traversait cette éclaircie et une légère bruine commençait à envahir le lieu, déjà mystique en soi. Il n'y avait absolument rien. Aucune cabane, aucun signe de passage humain, sinon le fait que l'espace soit exempt de végétation. Oh! Si! Il y avait une espèce de caisse de métal, sous le plus gros sapin de l'endroit. Je me demandais ce qu'elle faisait là, d'ailleurs.

Emma a regardé avec moi le reste du groupe qui découvrait en même temps que nous le lieu de repos pour la nuit.

— J'suis littéralement épuisée.

— Je te comprends, Emma. Je tiens à peine debout et j'ai les mollets en compote!

Elle m'a fixé de son regard piteux.

— J'ai vraiment mal aux pieds. J'suis certaine que j'ai quatorze ampoules!

— Montre donc!

Emma a commencé à retirer ses mocassins pour dévoiler un pied gauche rougi par l'eau et la boue avec au moins trois grosses ampoules sur le côté du talon.

— Ouch! Ouin… je vais dire comme grand-maman Thérèse…

Ma gorge s'est serrée lorsque j'ai prononcé ces mots-là. J'espérais qu'elle allait bien.

— Mieux vaut faire un bon pet que de péter ses ampoules!

Emma a éclaté de rire. Y avait au moins une personne dans le groupe qui riait.

L'humidité de la forêt commençait à se faire sentir et Cerf nous a demandé de ramasser des grosses roches pour faire un feu. Il fallait nous sécher et faire cuire notre souper avant que le groupe au complet ne s'écroule de fatigue. J'ai donc puisé dans mon endurance et je me suis mis à déterrer le plus de roches que je le pouvais avec mes mains.

Un silence de mort régnait. Je crois que personne, à commencer par moi, n'avait ne serait-ce qu'une petite idée de ce que ce camp serait réellement ! C'était beaucoup plus difficile qu'on se l'était imaginé. Il allait de soi que personne n'aurait cru devoir en faire autant.

Au bout d'une vingtaine de minutes, le rond de pierre était achevé et Cerf nous a demandé de nous réunir autour.

— Trouvez chacun un bout de bois sur lequel vous allez pouvoir vous asseoir auprès du feu que nous allumerons tout à l'heure. Ensuite… nous allons préparer notre repas. Corneille !

Corneille a sursauté. Il faut dire qu'il regardait ses orteils depuis le début. Cerf a désigné le coffre de métal sous le sapin.

— Tu vas aller chercher l'eau dont nous aurons besoin pour faire cuire le repas, boire et faire notre toilette. Fouille à l'intérieur de la caisse en métal. Le seau s'y trouve.

Corneille a acquiescé en silence. On entendait toutes sortes de bruits étranges, passant du chant d'oiseau inconnu au bruit de branche et de feuillage. Édouardo s'est gratté la nuque en levant la main.

— Euh… Cerf… est-ce que tu crois que les loups nous ont suivis ?

Cerf a regardé le groupe puis a fixé le rond de pierres par terre. Il a pris son temps pour répondre, ce qui a donné le tournis à Édouardo. Les autres ne savaient pas trop de quoi il était question, alors ils regardaient avec appréhension Cerf et Faucon.

— Je ne sais pas. Il va falloir attendre la noirceur pour éliminer cette possibilité.

Édouardo a frissonné, et ce n'était pas à cause de la température ! Il s'est retourné pour me regarder droit dans les yeux.

— Je ne veux pas dormir à moins de deux mètres du feu ! Quitte à avoir le derrière qui flambe !

J'ai éclaté de rire et Couguar solitaire a secoué la tête en soupirant. Quel frimeur, celui-là !

— J'suis désolé, mon vieux, mais tu ne dormiras pas dans mon sac de couchage… loup ou pas !

Édouardo m'a poussé.

— Gros niochon ! J'ai ben hâte de t'voir quand les loups vont venir rôder, cette nuit. En tout cas, ne compte pas sur moi pour te sauver quand ils vont vouloir te grignoter le fond de culotte !

Feu, feu, joli feu

Corneille est arrivé avec plus d'eau sur lui et par terre que dans le seau. Couguar, qui avait été chargé d'éplucher des carottes qui se trouvaient dans la caisse, s'est levé en rogne.

— Hey, pauvre con ! Tu viens de m'en échapper sur la tête !

Corneille s'est tourné et a fait semblant de s'accrocher le pied. Le seau d'eau s'est renversé au complet sur le t-shirt de Couguar. J'étais à deux doigts d'intervenir.

— Je ne sais pas ce qui m'retient de t'en foutre une !

Corneille a pouffé de rire et Couguar a foncé sur lui tête baissée.

— Hey !

J'ai eu le temps de me placer entre eux, mais pas celui d'éviter le coup de poing qui m'a résonné dans le ventre. Le souffle coupé, je suis tombé à genoux et Faucon est arrivée en courant, Cerf sur les talons.

— Qu'est-ce qui se passe, ici ?

Couguar respirait par saccades et son visage était rouge vin, même caché sous une épaisse mèche de cheveux noirs.

— Ce con ! C'est lui qui se fout de ma gueule !

Corneille a levé les bras, l'air de dire qu'il n'avait rien fait. Pourquoi fallait-il toujours que je me mette dans un sale pétrin ? Si je ne retrouvais pas mon souffle très vite, j'allais être bon pour une sévère crise d'asthme !

Cerf a attrapé Couguar par le bras et l'a retourné face à lui.

— Qu'est-ce qui te prend de frapper un compagnon ?

Cerf m'a fixé et je lui ai fait signe que je n'étais pas encore à l'article de la mort.

— Ce n'est pas mon pote !

— Eh bien, il faudra que ça le devienne !

— Peuh ! Je croirais entendre parler ma mère !

Cerf a secoué la tête en le lâchant, voyant qu'il s'était calmé.

— Demain, tu porteras son sac. Comme ça, tu apprendras à respecter les autres !

Couguar a explosé.

— Tu débloques ou quoi ? On doit avoir marché six heures, aujourd'hui ! Je ne vais pas porter le sac d'un autre pendant tout ce temps juste à cause d'un idiot qui ne sait pas transporter un seau d'eau ! C'est lui, le crétin, pas moi !

Il a pointé Corneille. Cerf n'a pas bronché.

— Peut-être que tout cela n'est qu'une question de perception. Tu devrais y réfléchir en épluchant tes carottes. D'ailleurs, si tu ne termines pas ta tâche, on n'aura pas de légumes, ce soir.

Couguar fulminait.

— J'm'en fous, des légumes ! Je vais lui casser la gueule à cette corneille de mes deux !

La main puissante de Cerf s'est placée sur sa poitrine, tandis que Corneille ravalait sa salive, visiblement pas trop prêt à se battre en plein bois.

— Tu vas te calmer, sinon je vais devoir le faire et tu risques de ne pas aimer ma médecine.

Couguar m'a semblé demeurer sur sa position une éternité avant de finalement baisser les bras. Il a tourné la tête en respirant bruyamment. Faucon a entraîné Corneille vers le ruisseau pour qu'il rapporte de nouveau de l'eau et elle a frappé dans ses mains pour que les autres curieux se remettent au travail. En effet, chacun avait son rôle à jouer dans le succès du souper.

Cerf a demandé à Couguar de s'asseoir. Ce dernier a hésité, mais s'est finalement exécuté à contrecœur. Il était beaucoup plus compliqué qu'il n'en avait eu l'air. Il me rappelait Édouardo à une certaine époque. Par chance, il ne semblait pas en avoir après moi!

Cerf a pris place sur le sol près de lui et il m'a demandé de me rapprocher. Je n'avais pas trop envie de m'asseoir. Le simple fait d'avoir à discuter avec Couguar me donnait maintenant un peu la nausée. Ce devait être le coup dans le ventre. J'aurais de la chance si je me rendais à l'âge adulte avec un corps qui tient en un seul morceau !

Je me suis assis en silence et, surtout, en regardant le sol, les deux mains sur la face.

— C'est comme ça que tu as appris à te faire des amis, Couguar ? Aurais-tu oublié notre entente ?

J'ignorais de quelle entente il parlait. Chose certaine, Couguar n'était pas très motivé.

— Je ne veux plus être ici. Ça me fait suer ! Cerf l'a dévisagé.

— Excuse-toi au moins à Ours guerrier !

Couguar a relevé la tête et a écarté en soupirant la mèche noire qui lui cachait la vue.

— Ok. Excuse-moi ! De toute façon, tu dois être content : demain, j'vais faire tout le sale boulot à ta place, alors…

Je ne savais pas trop quoi dire. Fallait-il que je saute de joie ? Je ne pense pas. J'ai décidé de rester neutre et de continuer à regarder par terre. Ce gars avait l'air sur le bord d'exploser.

— Je peux éplucher les carottes, là ?

Cerf a lui aussi soupiré en se relevant.

— Si ce camp te fait suer à la première journée, ce qui suit ne sera pas de tout repos pour toi, Couguar. Tiens-toi-le pour dit.

Ce dernier s'est levé et, nez à nez avec Cerf, il a craché :

— Fallait y penser avant de dire oui à ma mère !

— Il fallait y penser avant de me promettre de faire un effort ! Je n'avais pas le choix !

Couguar avait les yeux brillants de rage et les poings serrés. Il était évident que l'incident du seau d'eau n'était qu'un prétexte pour laisser échapper la colère qui semblait le ronger.

— Je crois qu'on a toujours le choix, mon garçon. On s'en reparlera.

Cerf s'est éloigné et je me suis levé afin de ne pas rester seul avec ce type. Ma foi, j'allais devoir me mettre un peu d'eau sur la figure. J'avais les entrailles en compote ! Lentement, mais sûrement, je suis parti vers le ruisseau.

Emma a cessé de ramasser du petit bois pour me prendre par le cou.

— Mais il est fou, ce type ! J'ai vu ce qui s'est passé... ça m'a tout pris pour ne pas intervenir !

Je lui ai fait signe de baisser le ton.

— Chut ! Tu oublies que ce n'était pas moi, sa cible…

— Quand même.

Les sourcils froncés, elle a passé sa main sur mon ventre.

— Ça fait mal ?

— Ouch ! Laisse donc faire ! T'as pas du bois à ramasser, toi ?

Elle m'a attiré vers elle.

— Allez ! On va soigner ton gros bobo à la rivière.

— Si au moins je m'étais fait ça en défendant ton honneur !

Emma a pouffé de rire.

— Viens, mon preux chevalier aux cheveux roux !

C'est les bras chargés de branches sèches qu'Emma et moi on est revenus du ruisseau. L'eau fraîche sur mon visage m'avait fait du bien. Tout le monde s'était activé et maintenant, il ne restait plus que le feu à allumer.

Faucon nous a tous invités à venir apprendre une technique de survie en forêt.

— Maintenant que vous êtes tous rassemblés auprès de moi et de Cerf, je vais pouvoir vous montrer comment on allume un feu!

Cheval fougueux s'est mis à rigoler.

— Rien de plus facile! Vous avez des allumettes?

Tout le monde a éclaté de rire. Faucon est restée de marbre.

— Je ne vous ai pas demandé de vous réunir auprès de moi pour me regarder craquer une allumette. Nous sommes dans un camp de débrouillardise et de découverte de soi. Je vais vous montrer à allumer un feu à partir d'une corde, de deux branches, d'une pierre plate et de mousse séchée.

Quoi? Pas vrai! On n'allait pas devoir faire comme les hommes de Cro-Magnon? Y a toujours des maudites limites! J'avais faim, soif, chaud et, en plus, j'avais l'impression d'avoir dix mille piqûres de maringouin!

— C'est une blague?

Faucon souriait.

— Je crains que non.

Elle s'est installée et a commencé à nous montrer comment entortiller la corde sur le bout de bois de façon à former un semblant d'arc, dans lequel l'autre bout de bois passait. J'étais déjà mêlé… Elle a commencé à tirer sur le bout de bois qui se trouvait à l'horizontale et l'autre a tourné sur lui-même. Elle a installé son système d'ingénierie sur la roche et a déposé un peu de mousse à la base. Elle a répété son stratagème plusieurs fois et, très rapidement, une fine fumée s'est élevée. Cerf s'est penché et il a soufflé un peu sur la mousse, tandis que Faucon continuait de tirer sur le bâton pour faire tourner l'autre. Au bout de deux minutes, une petite flamme a jailli comme par magie devant nos yeux éberlués.

Satisfaite, Faucon a déplacé très lentement la motte de mousse en feu vers le rond de pierre au milieu des brindilles, des morceaux d'écorce de bouleau et des bouts de bois. En moins de temps qu'il le fallait pour le dire, le feu dansait sous nos yeux. Petit, mais bien présent !

Cerf a frappé dans ses mains, faisant sursauter le groupe au complet.

— J'espère que vous avez bien retenu la leçon, puisque demain ce sera deux d'entre vous qui allumeront le feu. J'espère qu'il ne pleuvra pas comme je le pense, sinon je crains que ce soit très difficile. C'est pourquoi je vous propose de récupérer tout de suite ce dont vous aurez besoin et de le mettre au sec dans un des sacs à dos du groupe. Je sais que cela fait un poids de plus à porter mais, croyez-moi, ce sera bien de pouvoir se sécher, demain. Enfin… j'espère!

J'étais atterré. Édouardo me regardait, l'air de dire «il est malade, ce type», et Emma tapait du pied en se rongeant les ongles. Sans parler de Josée qui semblait au bord des larmes.

— Allez! Préparons le souper! Viande de lapin aux légumes!

J'ai aussitôt ravalé ma salive qui semblait avoir tout à coup la texture de la mélasse. Je venais de comprendre le principe de la petite caisse de métal. De la nourriture y était laissée par un employé du camp. Mais quand même, du lapin? C'était dégueulasse. Et qu'est-ce qu'ils allaient faire pour nous nourrir lorsqu'on serait tous au fin fond des bois? J'espérais qu'on n'allait pas être obligés de manger des bestioles!

Tout le monde regardait la fameuse flamme qui commençait à embraser tout le bois qu'on avait ramassé. Le regard d'Édouardo contenait une bonne dose d'anxiété. Il s'est approché de moi et d'Emma.

— Je suis content de connaître Cerf argenté, parce que, si ce n'était pas le cas, je crois que je ferais une crise de panique.

Je n'étais pas trop rassuré, moi non plus. Josée s'est accrochée au bras d'Emma et Corneille s'est penché pour récupérer son seau par terre. Il avait l'air plus découragé que jamais. Lui aussi devait se demander comment il allait s'en sortir. De plus, il avait maintenant un ennemi à surveiller. Couguar solitaire n'avait pas pris son nom dans une boîte de Cracker Jack : il n'avait pas juste l'air antisocial, il l'était ! Quant à l'autre, Cheval fougueux... Jusqu'à maintenant, je n'avais pas trop de critiques à lui faire. Il ne semblait apparemment pas un gars à problème. Mais après tout, on venait juste de partir.

Édouardo s'est croisé les bras en réprimant un frisson.

— Qu'est-ce que t'as ? Y fait pas froid.

Il m'a fusillé du regard.

— T'as déjà oublié, crétin, que Cerf n'avait pas l'air de savoir si nous étions suivis par des loups ?

Josée a serré le bras d'Emma un peu plus fort.

— Hey! Attention!

— Excuse-moi, Emma. Je... je commence à me demander si j'ai bien fait de venir. C'est loin d'être comme l'an dernier. Je veux dire, pas de cabane et aucune installation pour nous laver et tout... je suis pas mal déboussolée.

Emma n'a pas eu le temps de lui répondre. Cerf nous rappelait à tous de participer au souper.

L'appel au loup

J'avais beau trouver que manger du lapin c'était cruel et impossible, j'avais tellement faim que j'ai dévoré tout ce qui se trouvait dans ma gamelle, au grand désespoir de ma conscience. Corneille s'est penché vers moi et m'a chuchoté à l'oreille :

— Il faudra bien que je lui parle, à ce con à poil noir !

Il parlait bien sûr de Couguar.

— Je ne suis pas certain que ton attitude soit la bonne. Tu devrais y penser. Le voyage ne fait que commencer.

Corneille a jeté sa gamelle à côté de lui.

— Maudit, plus moyen de s'amuser, de nos jours ! Toujours les conventions et l'attitude !

Je n'étais pas trop d'accord. Pourquoi c'était à moi que revenait le soin de lui expliquer qu'il devait lui présenter des excuses et tout le tra la la ?

— Tu devrais essayer de raccommoder les choses !

— Peuh ! À quoi bon ? Je devrais peut-être l'ignorer.

Édouardo s'en est mêlé.

— Je pense que tu devrais faire comme Ours te suggère. Quatre semaines... c'est long.

Corneille a secoué la tête et s'est levé en ramassant sa gamelle sale. Cerf, qui l'observait, s'est arrêté de parler avec Faucon. Il l'a regardé partir vers le ruisseau. Son regard intense s'est dirigé sur moi. Cela m'intimidait toujours, même si, maintenant, j'essayais de le soutenir. C'était difficile pour moi, mais j'y arrivais. Il a soulevé sa propre amulette dans son cou et m'a fait un signe de tête pour désigner la mienne.

Instinctivement, ma main s'est dirigée vers mon amulette qui pendait au-dessus de ma gamelle vide. Son poids me rappelait pourquoi j'étais ici, dans les bois. Enfin, si quelqu'un m'avait demandé à ce moment-là pourquoi j'étais ici, je ne sais pas trop ce que je lui aurais répondu. Sûrement que j'étais là pour aller au bout de moi-même... mais qu'est-ce que signifie aller au bout de soi-même ?

Cerf m'a souri et s'est levé pour tous nous regrouper près du feu.

— Il commence à faire nuit. J'aimerais vous demander d'attendre que la noirceur soit vraiment tombée avant de déposer vos sacs de couchage par terre pour éviter que la rosée du soir les mouille.

Cheval fougueux a sursauté.

— On ne dort même pas dans une petite cabane ? Je veux dire, vous nous avez dit qu'il y avait peut-être des loups dans les parages, alors c'est pas un peu exagéré ?

Cerf a souri à Faucon qui lui a retourné son sourire avec un air de connivence.

— Je suis désolé, mais comme ce soir le temps est dégagé, nous allons dormir à la belle étoile. Si toutefois demain il pleut comme je le prévois, il faudra marcher jusqu'à l'endroit où les canots nous attendent pour le portage.

— Euh... Sans vouloir paraître ignare, je peux savoir c'est quoi, le portage ?

Cerf m'a regardé en riant.

— Il y a presque le mot «porter» à l'intérieur... il faudra donc porter les canots jusqu'à la rivière !

À ce moment, j'étais à peu près certain que ma lèvre inférieure touchait le bas de mon menton. J'avais déjà fait du canot avec mon père l'année d'avant en camping, et ce truc devait peser une tonne et trois quarts ! Et je n'exagérais pas du tout !

— Oh !

Tout le groupe s'est animé et les épaules d'Emma se sont affaissées d'un seul coup.

— N'ayez crainte, le portage ne sera pas trop long ! On vous avait prévenus qu'il vous faudrait puiser dans vos forces physique et spirituelle ! Vous allez apprendre à devenir des hommes et des femmes. Une chose est certaine : vous ne retournerez pas chez vous avec le même regard sur la vie qu'aujourd'hui !

Il a fixé Couguar. Ce dernier a marmonné :

— On verra bien.

Cerf n'en a pas rajouté sur le sujet. Il n'en avait pas besoin. Tout le monde était à cran.

— Maintenant, j'aimerais que vous vous choisissiez un endroit près du feu. Ensuite, venez rapidement nous rejoindre, Faucon et moi. Nous voulons vous faire vivre une expérience.

Je n'étais vraiment pas rassuré. Une expérience ? Ce mot dans la bouche de Cerf donnait froid dans le dos. Je me suis dirigé vers le feu avec Emma et Corneille sur les talons.

— Mec ! J'suis certain que je n'arriverai pas à fermer l'œil de la nuit ! Ce type va me rendre dingue ! Il veut qu'on se balade en forêt quand y commence à faire noir comme chez le loup ?

Il ne croyait pas si bien dire. Emma a enchaîné :

— En tout cas, moi, je vais au bout des choses ! Allez, les gars ! J'ai confiance en Cerf et Faucon. Ils ne risqueraient pas nos vies, quand même !

Je n'en étais pas si sûr et le fait que Corneille ne réponde pas lui non plus m'indiquait qu'on avait le même raisonnement.

— Bon...

Emma a déposé son sac entre le mien et celui de Corneille. J'étais plus ou moins d'accord, mais de toute façon, Corneille ou pas à côté, j'ai cru que j'allais m'écrouler de fatigue, alors on allait oublier la jasette pour ce soir...

Emma a pris ma main et, ensemble, on est retournés avec les autres autour de Cerf. À chaque pas qu'Emma faisait, un petit couinement sortait de sa bouche.

— Ça va ?

Emma a serré les poings.

— Non... ces maudits mocassins de malheur m'ont déchiré les pieds ! J'ai l'impression d'avoir les talons en sang et, depuis que le cuir a séché grâce à la chaleur du feu, ça fait deux fois plus mal. C'est raide comme de la peau de croco, cette affaire-là !

J'ai grimacé. Il faisait tellement noir que je voyais à peine le visage d'Emma avec ma lampe torche.

— J'suis certain que Cerf a quelque chose pour ça. On le lui demandera avant de se coucher.

— Ouais… j'imagine…

Cerf et Faucon nous ont emmenés à la queue leu leu dans la noirceur la plus terrible que j'avais jamais vue ni entendue… Car la forêt semblait prendre vie et j'ignorais à quoi associer tous les sons et les mouvements inquiétants que je percevais. Je n'étais pas le seul, d'ailleurs, et Emma s'est rapprochée de moi en me tenant le bras.

— Je désire le silence le plus total. Aucun bruit, s'il vous plaît.

Cerf s'est arrêté après une dizaine de minutes de marche, guidé par sa boussole. Faucon nous a chuchoté de nous asseoir. On était tous dans un endroit plutôt clairsemé. Il n'y avait pas beaucoup de gros arbres, que des broussailles et des petits sapins. Cerf est resté debout en état quasiment méditatif. Il a penché sa tête par-derrière et a hurlé littéralement comme un loup dans la nuit.

Mon sang s'est glacé.

— Mais...

Faucon m'a serré le bras et elle s'est mise à chuchoter :

— Il fait l'appel au loup. Écoutez.

Cerf a posé ses mains en croix sur sa poitrine en fermant les yeux. Je pouvais voir que ceux-ci étaient clos parce qu'ils ne brillaient plus. La lune éclairait faiblement le cercle où on se trouvait et Cerf se tenait toujours debout dans l'attente de... je ne savais quoi.

Tout à coup, l'impossible est arrivé. Un autre loup a hurlé, un vrai, cette fois-ci, suivi d'un deuxième et d'un troisième ! J'étais sidéré. Il voulait les attirer ici ou quoi ? Le visage d'Édouardo était blanc comme un drap !

— Ils... ils vont venir ici ?

Faucon a soupiré avant de répondre à Édouardo qui semblait sur le point de faire pipi dans son short.

— Silence.

Cerf semblait toujours dans un état second, comme s'il était seul au monde et que rien d'autre ne comptait. J'espérais qu'il nous rassure un peu, mais ça ne venait pas. Il a plutôt recommencé à hurler, à mon grand désespoir !

Je n'avais pas prévu de finir dévoré par les loups… J'allais pouvoir accueillir grand-mère Thérèse au paradis, finalement ! Je l'imaginais déjà : « Nom d'un parfum cheap ! Qu'est-ce que tu fais ici, un bras et une jambe en moins ? »

Emma a coupé net le cours de mes pensées morbides en me donnant un petit coup de coude.

— On dirait que les loups chantent une chanson avec Cerf, tu ne trouves pas ?

N'importe quoi.

— Je pense qu'on va tous finir dévorés et que j'ai eu tort de ne pas me cacher près du feu avant de venir m'exposer ainsi à l'horreur d'une mort atroce !

Faucon m'a pincé le bras.

— Aïe !

— Tais-toi !

J'ai regardé Cerf qui hurlait encore à ses nouveaux compagnons. Mon regard a fait le tour du groupe. Les autres avaient le même air éberlué. Pas trop d'accord avec ce que je voyais, j'ai croisé les bras sur ma poitrine en réfléchissant à ce que j'allais faire pour me défendre quand, tantôt, un loup allait venir s'attaquer à mon fond de culotte.

Emma s'est collée encore plus près de moi, tellement que je sentais sur mon bras les battements affolés de son cœur. Un craquement a fait tourner tout le groupe vers l'orée du bois.

— Qu'est-ce que...

Cerf a ouvert l'œil, imperturbable. Faucon a secoué la tête en acquiesçant.

— C'est Bikbi!

Mais c'était qui, Bikbi? Je tremblais comme une feuille quand Corneille s'est retrouvé debout le doigt pointé vers les bois avec les jambes flageolantes à souhait.

— C'est... c'est...

Cerf s'est avancé et s'est placé devant lui.

— C'est un loup, oui, mais pas n'importe lequel. Groupe, je vous présente Bikbi!

C'était une farce ou quoi? Bikbi était un loup tout ce qu'il y avait de plus vrai! Gueule avec quatorze mille dents pointues et poils hirsutes en prime! J'étais trop loin pour voir la bave qui dégouttait de sa gueule, mais j'étais certain qu'il y en avait!

— Merde...

Édouardo était derrière Faucon, en petit bonhomme, tout tremblant et affolé. Faucon nous a enfin rassurés :

— Écoutez-moi. Bikbi est une louve qui a vécu quelques années avec Cerf qui l'a recueillie lorsqu'elle était toute petite et l'a élevée jusqu'à ce qu'elle retourne dans la forêt, il y a cinq ans. Depuis, on la rejoint ici chaque année.

Il a sifflé et Bikbi a accouru nonchalamment vers Cerf qui se penchait pour la recevoir. La louve s'est lovée dans ses bras et lui a léché les mains avant de s'arrêter et de nous regarder avec insistance, l'air de dire : « Coudonc, vous en faites une tête ! »

J'étais complètement dépassé. Ce gars m'en faisait encore voir de toutes les couleurs alors que je croyais avoir tout vécu avec lui. Chaque fois, il réussissait à me renverser. Cerf s'est retourné vers nous, tout heureux.

— Vous voyez ? Elle est ravissante et tellement sociable ! Depuis cinq ans, elle voyage avec nous. J'espère que vous l'aimerez. Elle est aussi douce qu'un agneau. Mais elle n'aime pas trop les lapins, alors…

Édouardo ne rigolait pas du tout. Même si Cerf avait voulu le taquiner, je sentais qu'il se retenait à deux mains pour ne pas sauter dans les bras de Josée.

Cerf a posé sa main sur l'encolure de la louve.

— Suivez-moi tous, maintenant. Nous rentrons auprès du feu pour dormir. Demain, ce sera une autre journée plutôt difficile pour vous.

Édouardo a crié :

— Et les autres loups ? Ceux qui hurlaient tout à l'heure ?

Cerf a éclaté de rire.

— Ne t'en fais pas, ils étaient à des kilomètres d'ici. Ils ne faisaient que nous signaler leur présence et leur territoire.

Le groupe s'est placé de nouveau à la queue leu leu et tout le monde s'est mis à marcher en silence, Édouardo était collé aux fesses de Faucon, qu'il ne lâchait plus d'une semelle. Personne n'osait dire un mot, de peur que la louve ne s'intéresse à lui... ou à elle. Couguar solitaire regardait ses pieds et, pour lui, on aurait dit que rien d'autre n'avait d'importance. On l'aurait cru sur une autre planète.

Ce type était bizarre. À la limite, j'avais un peu peur de lui. Son côté dark cachait sûrement quelque chose et je n'étais pas certain d'avoir envie de savoir quoi.

Près du feu

Emma regardait encore la louve qui s'était étendue près du sac de couchage de Cerf comme la gardienne des lieux.

— Je suis complètement paf! J'en reviens pas. Ce gars-là n'est pas comme les autres!

J'étais d'accord. Corneille s'est couché en rigolant.

— En tout cas, je suis certain que si quelqu'un se fait grignoter les pieds à soir, ce ne sera pas moi! J'ai mis mes mocassins au pied de mon sac de couchage pour vous épargner, mais, ma foi, ça sent la charogne plutôt que la rose, mon affaire! Alors, si la louve vient me mordiller, elle ne va pas se réveiller de sitôt!

Emma a pouffé de rire.

— Merci de cette galante attention!

— C'est pas pour toi! J'voulais me réveiller vivant demain matin, c'est tout!

Je n'en revenais pas. C'est qu'il était comique, après tout !

— Aïe…

Emma venait de retirer ses mocassins et je dois dire que ce n'était pas joli à voir. La plante de ses pieds et ses talons étaient remplis d'ampoules et rougis par la friction.

— Ouuuuh ! Ce n'est pas jojo… Tu devrais le montrer à Cerf.

— Ouin… tu penses ?

— Mets-en.

Corneille, qui aimait se mêler de tout, a regardé ses pieds avec sa lampe torche en faisant mine de rien.

— D'après moi, ça semble infecté !

— Hein ?

Emma s'est alarmée pendant que moi je donnais une claque derrière la tête de ce maudit fauteur de troubles.

— Ferme-la, tant qu'à dire des niaiseries !

— Bon, moi je dors, de toute façon. Demain, il va sûrement y avoir du grabuge encore !

Dormir… c'était effectivement ce que tout le reste du groupe s'apprêtait à faire. Cerf et Faucon jasaient autour d'une carte près du feu.

Je n'avais aucune idée de l'heure qu'il pouvait bien être. J'avais perdu toute notion du temps, ici. Je n'avais aucun repère. Emma a soupiré fortement en massant ses pieds.

— Tu devrais aller voir Cerf. Go !

Au même moment, le regard de Cerf s'est posé sur nous. Il s'est levé et s'est approché.

Il a regardé Emma et a vu ses pieds à la lueur du feu.

— Hum… il semblerait que la journée de marche ait été difficile à supporter.

Emma a baissé les yeux. C'était clair que Cerf l'intimidait, comme nous tous d'ailleurs. Il s'est accroupi à ses côtés.

— Tu dois avoir mal…

Il a pris un de ses pieds dans ses mains en jugeant de la gravité du cas à la lueur du feu. Emma le scrutait du regard avec insistance.

— Habituellement, on ne fait pas d'ampoule au bout d'une seule journée de marche. Si je me base sur ce que je sais de toi, je dirais que tu as inconsciemment de la difficulté à avancer, que quelque chose te retient en arrière, t'empêche d'aller de l'avant.

Emma a ravalé de peine et de misère. Il venait de toucher une corde sensible. C'était la première fois que je voyais quelqu'un aborder le mal de cette façon. Il associait son problème physique à une douleur morale.

— Je pense, Emma, que tu dois méditer sur ce qui t'empêche d'avancer. Qu'est-ce que tu en dis ?

Emma a acquiescé, les yeux humides. Il n'avait pas besoin de parler beaucoup. Ses quelques mots avaient fait leur œuvre. Emma était touchée.

— Je sais ce qui me ramène en arrière... je suis ici pour réfléchir à ça... je voulais prendre du temps pour réfléchir à ma vie sans... sans... ma mère.

Cerf a hoché la tête, pensif.

— Oui... il faut comprendre le pourquoi, dans la vie. Savoir aussi s'arrêter et accepter les choses telles qu'elles sont pour pouvoir ensuite diriger nos pas... et ensuite notre vie. Mais l'important, Emma, c'est de vivre dans le présent. Tes pieds te font souffrir aujourd'hui, mais est-ce que ce sera le cas demain ? Nul ne le sait. En attendant, j'ai un remède pour toi.

Il a fouillé dans la petite sacoche de cuir toujours accrochée à sa ceinture. Il en a sorti une fiole d'huile.

— Ceci est de l'huile d'achillée millefeuille. Appliques-en sur tes pieds et je suis certain que demain sera un meilleur jour ! Je t'apprendrai à reconnaître cette plante. Tu pourras frotter ses feuilles entre tes doigts et masser tes pieds avec sa sève. Ça aidera la cicatrisation.

Il a ouvert la fiole et un léger parfum s'est répandu.

— Ça sent bon…

Cerf lui a posé la main sur l'épaule.

— Quand ça soigne, ça sent toujours bon.

Sur ces paroles, il est retourné près de Faucon. La louve l'a regardé et s'est recouchée tout de suite. Emma fixait le vide. J'étais convaincu que toutes ses pensées se trouvaient au Mexique avec sa mère. Tout à coup, j'étais triste, moi aussi. Je pensais à tout ce qui s'était passé dans sa vie, mais également à grand-maman. Je me demandais si Cerf avait un remède contre le cancer.

Emma m'a tendu la fiole.

— Tiens… Tu veux bien m'en mettre ? J'en ai pas le courage.

Je me suis exécuté. Elle avait besoin de toutes ses énergies pour réfléchir à ce que Cerf venait de lui dire.

Jour 2
La grosse vie sale!

La grosse vie sale, ce n'était pas la vie de pacha dans un chic et délicieux hôtel branché, non! C'était la boue, mon nouveau royaume!

— Merde! J'ai de la bouette qui me rentre dans les chaussons!

Bon, de quels chaussons parlait Corneille?

— Non mais, c'est vrai! J'appelle plus ça des mocassins, mais des vieux chaussons puants!

Couguar a secoué la tête.

— Arrête de chialer, la Corneille! Tu pourrais être obligé de faire comme moi pis de porter le sac d'un autre qui pèse deux tonnes!

Je me sentais mal. En effet, Couguar devait porter mon sac sur le devant de sa poitrine et le sien derrière son dos. J'avais encore le ventre douloureux, mais j'avais quand même du mal à le voir chargé comme une mule sans rien dire. Les autres marchaient la tête baissée. Le silence qui planait sur le groupe en disait long sur notre état mental. Emma avançait devant moi d'un bon pas, mais avec une perpétuelle grimace en travers de la bouche.

— Emma ?

— Quoi ?

Elle avait les yeux pleins d'eau, mais continuait d'avancer.

— Tu veux bien que je prenne ton sac pour soulager un peu tes pieds ?

Elle a acquiescé et une larme a roulé sur sa joue.

— Donne-le-moi.

Elle l'a enlevé de peine et de misère.

— On dirait que la journée ne sera pas facile.

Elle a secoué la tête et s'est essuyé les yeux du revers de la main. Couguar est passé devant nous en poussant un juron et je ne sais pas trop ce qui m'a retenu de ne pas lui faire une jambette !

— Y me semble qu'un peu de bouette dans la face, ça lui ferait bien à lui, non ?

Emma a souri en secouant la tête.

— Viens...

Je l'ai suivie sans rien dire. J'ai eu l'impression qu'on marchait comme ça depuis une éternité quand Cerf s'est arrêté devant une espèce de falaise, sa louve Bikbi sur les talons.

— Vous vous rappelez votre escalade et votre descente de l'an passé? Pour ceux qui n'étaient pas là, ce n'est pas compliqué : on se laisse glisser, en faisant des petits bonds si on veut! Ok? Le but : rejoindre les canots qui sont en bas, près de la rivière. Regardez!

Personne n'a bougé d'un poil. Hey! Je n'allais quand même pas m'approcher du bord comme ça! S'il me disait qu'il y avait une rivière en bas, je le croyais sur parole, un point c'est tout!

Cerf a rigolé en flattant le poil du dos de sa louve.

— Voyons, c'est juste une petite falaise! Invoquez votre animal totem pour trouver le courage d'affronter votre peur!

Trouver le courage d'affronter notre peur. Perso, j'avais jamais vu un ours descendre en rappel d'une falaise rocheuse de je ne savais pas combien de mètres!

Cerf s'est étiré et a pointé Cheval fougueux.

— Tu seras le premier à descendre. Tu vas tous nous assurer ensuite!

Ce dernier a ouvert la bouche, complètement sous le choc.

— Mais… je n'y connais rien, moi, à ça!

— Eh bien, tu vas apprendre.

J'ai regardé Corneille et Édouardo qui tentaient d'évaluer la hauteur de la falaise. Le vent soufflait et les arbres en bas semblaient minuscules.

— Ouin… c'est pas un brin plus haut que l'an passé ?

Édouardo se tenait à deux mains à un arbre qui poussait près du précipice. Corneille s'est faufilé derrière et, en le tenant par le sac à dos, il l'a poussé vers l'avant pour le ramener tout de suite dans un éclat de rire. En effet, Édouardo avait laissé échapper un cri de fille assez aigu.

— Maudit malade mental ! J'aurais pu tomber !

Corneille se tordait de rire. Édouardo l'a frappé dans le dos le plus fort qu'il le pouvait. La louve Bikbi a grogné et montré ses crocs.

— Cave !

Faucon a tapé dans ses mains pour rappeler tout le monde à l'ordre.

— Ça va, Bikbi ! Chut !

La louve a tout de suite obéi.

— Corneille ! Arrête un peu !

— Quoi ? Personne ne prend les jokes !

Cerf a soupiré bruyamment.

— Alors tu seras le dernier à descendre, et je te réserve une tâche pour ce soir.

— Mais voyons, j'ai juste fait une blague !

— Une connerie, tu veux dire, a précisé Édouardo, rouge comme une tomate.

— Bah ! Allez ! On ne va pas en faire tout un plat.

Couguar rigolait dans sa mèche de cheveux rebelle. Corneille lui a lancé une motte de sable au visage.

— Archhh ! Tu vas-tu arrêter de me tomber sur la rate ?

Couguar a serré les poings et a laissé tomber mon sac à dos.

— Tu cherches la bagarre ? Tu vas la trouver avec moi !

Cerf s'est cambré et a attrapé le bras de Corneille avant que ce dernier fasse la plus grande connerie du siècle. En effet, Couguar devait être deux fois plus costaud que lui. Je n'aurais pas mis dix sous sur sa victoire !

— Tu veux vraiment beaucoup de travail, toi ? Tu veux que je te tienne occupé ? Corneille, tu vas devoir réfléchir un peu à ce que tu dis et à ce que tu fais.

Corneille s'est retourné, outré.

— Avoir le sens de l'humour, vous ne connaissez pas ça ?

Cerf l'a lâché.

— Avoir le sens de l'humour ne signifie pas d'acculer tout le monde à ses limites. De provoquer et de croire que toutes les paroles qui nous passent par la tête sont permises. Tu auras la chance d'y réfléchir ce soir.

Corneille a ravalé sa salive. Il n'y avait aucun doute que les conséquences de Cerf seraient des plus pénibles, au bas mot. Couguar allait pouvoir dormir comme un bébé sur un tas de roches, ce soir.

— Assez rigolé. Toutes les installations sont déjà prêtes. Seulement, il est bon d'avoir quelqu'un à l'arrivée en bas ! C'est donc Cheval qui va descendre pour nous accueillir.

Ce dernier s'est avancé près de la falaise, les jambes tremblantes et le visage en sueur. Le vent soufflait toujours, amenant avec lui une forte odeur de sapinage, de brume de la rivière et d'humidité transportant un relent de végétation en décomposition. Bref, ça n'avait rien d'une odeur de ville. Croyez-moi, on était loin du métro de Montréal !

Cheval s'est penché en attrapant la boucle que Faucon lui tendait.

— Tiens, mon grand. Tu vas voir, c'est super le fun !

Cheval a acquiescé en avalant difficilement sa salive. Être le premier à faire une chose pareille demandait en effet une bonne dose de courage. Il a ajusté ses petites lunettes rondes, a passé sa main dans ses cheveux courts et a attrapé le harnais que Faucon lui tendait gaîment. Elle a attaché pour lui le câble de descente et lui a donné une accolade d'encouragement.

— Tu nous attends en bas ! On compte sur toi pour nous aider à descendre ensuite !

Il a hoché la tête sans dire un mot et s'est mis en petit bonhomme sur le bord du précipice.

— Vas-y, mon vieux !

Il m'a souri et il a disparu devant mes yeux ébahis. Il était sacrément courageux. La falaise devait vraiment mesurer le double de celle qu'on avait pu grimper l'an dernier ! Je n'aurais sûrement pas eu le courage de le faire en premier, j'en étais presque certain.

Couguar a pointé la louve en riant.

— J'imagine qu'elle ne va pas descendre en rappel, celle-là ?

Cerf lui a souri tout en regardant s'éloigner Cheval fougueux.

— Non, elle connaît un autre chemin.

Corneille s'est exclamé :

— Alors pourquoi on ne le prend pas ? C'est stupide de risquer notre vie à descendre des falaises si on peut l'éviter !

Cerf a secoué la tête.

— Tu as peur ?

Corneille, mal à l'aise, a hésité un peu.

— Certain que ça m'fout les jetons ! J'pense que je ne suis pas le seul, non plus. Pourquoi est-ce qu'on devrait passer par là ?

— Pour affronter tes peurs.

— Pourquoi ?

— Pourquoi pas ?

Corneille a froncé les sourcils, contrarié.

— Je ne comprends pas ce que ça va me donner de me faire des peurs.

— Peut-être que tu ne sais pas ce que c'est que vivre sa vie sans peur.

— Qu'est-ce que t'en sais ?

Cerf l'affrontait du regard.

— Je ne le sais pas, je te le demande. Vis-tu sans peur ?

J'avais vécu assez de choses dans les deux dernières années pour comprendre où Cerf voulait en venir. Vivre sa vie sans aucune peur devait être une véritable libération ! Par contre... ça demandait des efforts considérables parce que, chaque jour, quelque chose te ramène invariablement à tes vieilles façons de penser qui peuvent te nuire et t'empêcher d'avancer. C'est ce que moi-même j'avais expérimenté lors de mon aventure avec Édouardo et de tous mes autres problèmes. La peur de l'inconnu m'avait souvent empêché de voir le bon côté des choses. J'avais perdu du temps à comprendre ça. Par contre, lorsque j'y pensais... je me disais que ce temps n'avait pas été perdu, mais plutôt très bien investi ! Combien de choses je faisais maintenant que je n'aurais jamais osé faire avant !

Corneille a secoué la tête.

— Non...

— Voilà pourquoi on passe par la falaise ! Pour que ta peur devienne ton amie la plus proche. Vois-tu, la peur nous pousse à vouloir nous améliorer et nous comprendre davantage. Qui n'a jamais rencontré la peur n'a jamais vraiment ressenti la paix en lui.

Corneille s'est redressé et a regardé ses mocassins. Cerf a poursuivi :

— Ce que je dis maintenant à Corneille est bon pour tout le monde ici. Au bord de cette falaise, vous vous sentez sûrement petits et sans grande importance. Sachez toutefois que le plus beau pouvoir de l'être humain réside dans sa foi en lui. En lui seul ! Car sachez que l'on vient ici sur Terre pour être en communion d'abord avec nous et ensuite avec les autres ! Telle est la sagesse de l'homme qui veut avancer la tête haute. Sans peur.

J'avais l'impression d'être dans un film avec le grand chef indien d'une tribu lointaine perdue dans les montagnes. J'étais aux anges. J'avais le sentiment que j'allais changer du tout au tout juste en usant mes mocassins à la corde.

Emma m'a regardé avec un sourire qui en disait long sur ses pensées. Elle aussi était motivée à changer et à avancer. Cerf avait un je-ne-sais-quoi qui vous poussait à bien cerner ce qui comptait vraiment. Les vrais sentiments et les vraies choses. Il allait recommencer à parler quand Faucon s'est exclamée :

— Il est enfin en bas ! Regarde, Cerf, il nous fait signe ! Il remonte le harnais par la corde de côté.

— Bravo, il a bien fait ça. La deuxième sera Libellule tranquille.

Josée s'est avancée avec un peu plus d'assurance que tout à l'heure. J'avais l'impression que tout ce que Cerf avait dit n'était pas tombé dans l'oreille d'une sourde. Elle s'est penchée au-dessus du précipice et ses épaules se sont soulevées pour s'affaisser, de nouveau détendues.

Faucon l'a harnachée et ça a été un nouveau départ.

— Regarde, Faon charmeur !

Cerf s'est approché d'Emma et l'a attirée vers une plante qui poussait derrière nous, en massif sur le rebord de la forêt. Je les ai suivis et Cerf a attrapé les feuilles dans ses mains en se penchant. Il a flatté les tiges du revers de la main.

— Voilà l'achillée millefeuille. C'est cette plante qui t'a aidée pour tes pieds, hier.

Emma s'est accroupie près de lui.

— Oh! Oui! J'espérais en voir, aujourd'hui!

Il a arraché deux ou trois feuilles et les a broyées entre ses doigts.

— Montre-moi tes pieds.

Emma a enlevé ses mocassins, dévoilant des pieds vraiment enflés et rougis. Cerf a déposé délicatement la précieuse mixture sur les plaies.

— Enduis tes pieds avant de descendre la falaise. Tout à l'heure, dans le canot, et quand nous mangerons, ça aura le temps de faire son effet. Ça va cicatriser, maintenant. N'est-ce pas?

Emma a acquiescé.

— Oui… je dois aller de l'avant, ça ne sert à rien de ruminer les vieilles choses.

Cerf s'est frotté les mains sur son pantalon.

— Bonne idée.

— Je peux l'aider? ai-je demandé.

Cerf m'a secoué les cheveux.

— Bien sûr que tu le peux!

Il nous a enfin laissés seuls, légèrement à l'écart. Je brûlais d'envie d'embrasser ma belle Emma. Je la regardais étendre la sève de la plante sur ses plaies et je ne pouvais pas m'empêcher de la trouver craquante.

— Tu sais que tu es super belle, comme ça, assise parmi les petites fleurs blanches? Donne, je vais t'aider!

Emma a rigolé.

— Ah oui?

— Bien entendu!

Je me suis penché et je l'ai embrassée discrètement. Le feu m'est monté aux joues et les oreilles d'Emma ont tourné au rouge vin.

— Mady! On n'a pas le droit!

— Personne ne nous voit!

— Imagine que oui!

— J'aurai une conséquence!

Emma s'est essuyé les mains sur mon chandail.

— Hey!

— Ah! Tu l'as bien cherché, vilain!

La descente

Comme ça semble toujours plus facile pour les autres! Lorsqu'Emma était descendue, je m'étais dit que, finalement, ça n'avait pas l'air si terrible que ça. Je m'étais bien trompé.

Le vent soufflait encore plus fort et je n'avais aucune envie de descendre. Il fallait que je me donne un bon coup de fouet pour m'exécuter.

— Ça va, Ours guerrier ?

Cerf semblait voir au travers de mon corps. Lire dans mes pensées les plus profondes. Ce n'est pas que ça me déplaisait, mais c'était difficile dans ces conditions de lui faire croire que je n'avais pas peur de descendre. De plus, il me connaissait très bien.

— Je vais y arriver.

— C'est bien.

— J'ai quand même peur.

— Demande de l'aide à ton totem, l'ours.

Mon regard en disait long sur mon incompréhension de la chose. Tout seul sur le bord de la falaise, harnais entre les jambes, corde de rappel entre les mains, j'avais l'air un peu nul.

— Je… je ne sais pas trop comment faire.

Il s'est approché de moi.

— Ferme les yeux.

Je me suis exécuté.

— Maintenant, regarde à l'intérieur de toi, avec tes yeux internes, ceux que le monde extérieur ne voit pas. Quelle image veux-tu voir apparaître ? L'image de la peur ou bien celle du courage et de la détermination ?

— Celle du courage. Enfin, c'est ce que je voudrais !

J'avais répondu sans aucune hésitation.

— Voilà donc la vision de l'ours qui s'offre à toi. Celle de l'intérieur. Regarde en toi et tu vas trouver la force de descendre !

J'avais les mains mouillées et le cœur qui battait la chamade quand j'ai enfin bougé mon pied droit. J'ai plié les genoux, j'ai ouvert les yeux et je me suis lancé. Pas comme un ours l'aurait fait, mais comme il aurait pêché dans la rivière en bas pour trouver son déjeuner ! Enfin ! Ça marchait, alors j'en ai profité pour me laisser glisser jusqu'en bas !

Emma m'a accueilli en tapant des mains et en sautillant.

— On a réussi ! On a réussi !

La Rivière aux brochets

Le Royaume de la mouche noire!

Encore légèrement sous le choc de ma descente en rappel, j'avais du mal à distinguer toute cette beauté devant moi. Emma était debout avec son sac à dos entre les jambes et regardait la bouche grande ouverte l'immense rivière qui déferlait devant nos yeux.

— Wow, c'est débile…

— Ouep! Je dirais même que c'est du délire!

J'avais oublié Corneille qui tardait à descendre, et les autres me laissaient indifférent. Je n'avais d'yeux que pour cette belle rivière sauvage qui coulait à fort débit dans un environnement au premier abord aussi sauvage qu'elle.

Emma m'a poussé du coude.

— Est-ce que tu vas encore porter mon sac?

J'ai pointé les canots.

— Oui, car si le plan est de nous faire descendre la rivière ici, je crois que, si je tiens à la vie, je ferais mieux de marcher !

Elle a acquiescé et Couguar s'est plaqué derrière elle en soupirant d'exaspération.

— J'en reviens pas ! Je n'ai pas signé pour mon enterrement quand j'suis venu ici ! Regardez-moi cette rivière ! Un vrai déluge !

Emma a mis les mains dans les poches de son pantalon de toile.

— Je suppose que ça fait partie des initiations que Cerf et Faucon ont prévues pour nous.

— Initiation, mon œil !

Couguar a jeté mon sac par terre et a donné un coup de pied sur les galets qui s'étendaient sous nos pieds.

— Je déteste ce con ! Il croit qu'il va nous transformer en hommes des bois ou quoi ?

Édouardo, qui n'était pas bien loin, s'est insurgé :

— Tu pourrais avoir du respect pour ce gars. Il n'est pas comme les autres ! Je voudrais bien être comme lui !

Couguar a haussé un sourcil.

— Ah, ça, tu peux le dire, mon homme ! Un vrai comique !

J'ai pris la parole. C'était plus fort que moi.

— J'espère que tu vas changer ta façon de voir les choses, Couguar ! Cerf est le gars le plus inspirant que j'aie rencontré ! Et, mieux que ça, je dirais que, sans ses conseils et sa sagesse, ma vie ne serait pas comme elle est aujourd'hui.

Couguar n'avait vraiment pas l'air de vouloir changer d'attitude.

— Dommage pour toi ! Tu as raté une chance de t'en sortir ! Les adultes sont vraiment les derniers des idiots ! Si j'en crois ma propre expérience, on ne peut pas leur faire confiance et c'est qu'une bande d'égoïstes mal foutus !

À l'entendre parler ainsi, on devinait sans l'ombre d'un doute qu'il souffrait beaucoup de sa relation avec ses parents. C'était plus que clair. Comme disait grand-mère Thérèse : « C'était aussi flagrant qu'un furoncle sur le bout du nez ! »

— Mon gars, je ne sais pas quel genre de relation tu vis chez vous, mais tu devrais te confier à Cerf, il serait capable de t'aider.

Couguar a attrapé mon sac et l'a enfilé sur son épaule déjà chargée.

— Plutôt crever que de faire confiance à ce paumé !

J'avais échoué dans ma tentative de lui faire comprendre la valeur de Cerf. Mais j'avais espoir qu'il finirait par s'en rendre compte par lui-même. Édouardo m'a donné une petite tape dans le dos.

— Fais-toi-z-en pas ! J'étais comme lui avant !

— Je sais…

— J'ai changé.

Il avait raison, mais c'était quand même un événement dramatique qui avait fini par lui faire entendre raison. J'espérais que Couguar ne se rende pas jusque-là.

Faucon a tapé dans ses mains lorsque Corneille a enfin touché le sol. Tout le monde avait fini par descendre l'immense falaise en un seul morceau ! Cerf s'affairait déjà à ranger le matériel avec Cheval fougueux.

— Mon cher groupe de voyageurs ! J'espère que vous avez pris un peu de temps pour admirer la magnifique rivière qui coule devant vous ?

Un « oui » éteint et peu enthousiaste s'est élevé du groupe, suivi d'un grognement aigu de mon estomac qui criait famine.

Cerf a désigné une autre boîte en métal rectangulaire tout juste en dessous d'une cavité dans la roche au rebord de la rivière.

— Vous avez sûrement faim ? Une pause s'impose !

Emma a essuyé ses yeux. Elle était visiblement épuisée et souffrante à cause de ses pieds.

— Je vous invite à aller fouiller dans la caisse de métal et, si vous avez besoin d'aide, n'hésitez pas.

J'ai laissé les autres courir pour découvrir ce qu'il y avait dedans. Emma a reculé de deux pas en grimaçant et s'est assise sur le sol rocailleux de la grève. Cerf nous a fixés, étonné.

— Vous n'allez pas regarder avec les autres ?

J'ai haussé les épaules.

— Je le saurai bien assez tôt.

Cerf a souri et s'est penché pour chuchoter à l'oreille de Faucon. Un cri de rage m'a fait sursauter. Couguar venait d'ouvrir la caisse et il brandissait une canne à pêche en maudissant l'idiot qui avait organisé ce camp débile.

Cerf lui a fait signe de le rejoindre, mais Couguar, fâché d'avoir à attraper son dîner, a jeté la canne à pêche par terre et s'en est allé à pied dans le sens opposé sur la grève.

Faucon a fait mine de vouloir aller lui parler, mais Cerf lui a bloqué le passage.

— Laisse-le. Il a besoin de temps pour comprendre.

Faucon a acquiescé. Je n'avais moi non plus aucune envie de pêcher mon dîner… surtout que je ne valais pas une claque à la pêche! J'ai fait un signe de la main à Emma pour lui dire de m'attendre.

— J'y vais. Je reviens avec ce dont on a besoin pour taquiner la vie sous-marine!

Emma sourit faiblement. Elle avait l'air souffrante et, pour la première fois, je ne pouvais pas faire grand-chose pour elle. Que porter son sac. Et je ne pouvais pas m'empêcher de penser à ce que j'allais faire demain lorsque j'aurais mon propre sac à traîner. J'étais loin d'être aussi costaud que Couguar. Est-ce que j'allais pouvoir porter le sien et le mien ?

Je suis revenu au bout de quelques minutes avec des appâts et les deux cannes. Habituellement, les vers m'écœuraient royalement, mais là, je devais dire que la perspective de me mettre quelque chose sous la dent me remplissait d'un courage hors du commun !

— D'après toi, Ours, y est quelle heure ?

— Je ne le sais pas, on ne voit pas le soleil. C'est plein de nuages… sombres, d'ailleurs !

Emma a lancé sa ligne la première.

— Cerf n'avait pas dit qu'il croyait qu'on aurait de la pluie, aujourd'hui ?

— Ouais, c'est vrai, ça. J'y pensais plus.

— Oh ! On ne devrait pas allumer un feu pour faire cuire le poisson ?

Emma a sursauté.

— Hey ! C'est ben vrai, ça ! Pourquoi Cerf ou Faucon ne nous l'ont pas rappelé ?

J'ai secoué la tête.

— Devine ! Le but c'est qu'on se débrouille tout seuls !

— Ouin… c'est le temps qu'Édouardo utilise ses talents pour créer des flammèches !

— Ok ! Et j'vais l'aider avec le super feu !

Je suis donc parti avertir Édouardo.

Cerf nous regardait nous installer du coin de l'œil, la louve bien lovée à ses pieds dans l'attente d'avoir un poisson à grignoter, sans doute. Les autres continuaient de pêcher et Josée avait même déjà attrapé un gros poisson bizarre ! J'étais encouragé ! Y avait au moins quelqu'un qui savait pêcher dans le groupe. Édouardo a installé la pierre plate sur la grève et moi, la mousse sur le dessus.

— L'air est humide, ici… j'espère que ça va fonctionner.

Édouardo avait la langue sortie et tentait déjà par tous les moyens de faire tourner le petit bâton de bois.

— Donne-moi ça ! T'as pas l'tour !

— Ok, tiens ! J'm'obstinerai pas !

J'avais comme qui dirait le gros bout du bâton. J'espérais faire mieux, mais c'était loin d'être évident.

— Commence à souffler, mon homme ! Souffle un peu sur la mousse ! Pas trop…

On avait déjà une fine fumée qui se dégageait quand, soudain, le pire est survenu : la pluie !

— Merde ! Y pleut !

Édouardo a enlevé son t-shirt à la vitesse de l'éclair en essayant de protéger notre mince espoir de fumée.

— J'espère que ce sera suffisant.

— J'espère, moi aussi... oh, la fumée a disparu !

Édouardo se tenait à genoux devant moi, sa cicatrice bien visible. On distinguait les griffes de l'ours sur son flanc... Je me demandais ce que Couguar en penserait. Ce dernier n'était toujours pas revenu de sa marche de frustration.

— Vas-y, Ours ! Frotte plus vite que ça !

— Je voudrais bien, mais je vais déjà le plus vite que je peux, là !

— J'vais être trempe !

Je tournais le bâton le plus vite que mes biceps me le permettaient. J'aurais bien voulu un peu d'aide de la part de nos moniteurs, mais même la pluie n'avait pas l'air de leur donner envie de nous donner un coup de main. C'était clair : le feu prendrait vie sans leur aide.

— J'ai les bras en feu !

— Ce n'est pas dans tes bras que le feu doit aller ! C'est dans le maudit tas de mousse, là ! Tu veux que je te remplace ?

— Non, vaut mieux que je continue pour ne pas perdre le rythme !

J'entendais crier les autres membres de notre tribu improvisée chaque fois que quelqu'un réussissait à sortir un poisson de l'eau. J'étais hors de moi. Il fallait que je réussisse à faire jaillir une flamme de cette petite motte de mousse !

— Je suis dans l'énergie du désespoir, là !

— Ne lâche pas, mon vieux !

— Je l'ai ! Je l'ai !

Une minuscule flamme vacillait entre les brindilles de mousse. Édouardo, dans son excitation, a retiré le chandail qu'il tenait sur le dessus pour souffler un peu sur la flamme, mais la pluie tombait dru à ce moment et...

— Non !

L'air déconfit, j'ai regardé une petite volute de fumée noire s'élever devant moi.

— Y a plus de chance, maintenant, il pleut beaucoup trop. La mousse est mouillée, Ours... On est cuits !

J'ai jeté le bâton avant de m'enrager et de le casser en deux.

— Comment on va faire pour manger, maintenant ?

Édouardo a soupiré.

— J'en sais rien, mon vieux, j'suis pas mal au bout de mes ressources. On devrait aller voir Cerf.

✖ ✖ ✖

Je croyais que Cerf aurait eu un brin de sympathie pour nous.

— C'est comme ça, Ours... Lapin et toi avez formé une bonne équipe. Vous avez échoué, et alors ?

C'est tout ce qu'il trouvait à dire ?

— Eh bien, Cerf, le poisson cru, ce n'est pas trop notre fort. Je veux dire... on est tous trempés et affamés et... et on n'a pas de feu.

Cerf a hoché la tête.

— Cela vous donnera la chance de déguster de la chair de poisson apprêtée différemment. Ce sera une expérience nouvelle.

— Mais...

Je n'étais pas du tout d'accord. J'étais dégoûté devant un plat de Kraft Dinner, je n'allais donc pas me mettre à manger du poisson cru. Juste à y penser, j'avais envie de vomir ! De plus, j'avais froid et j'étais trempé, comme tous les autres, d'ailleurs.

— Il faut se réchauffer un peu…

Cerf a haussé un sourcil.

— Faites du feu, alors !

Édouardo m'a regardé, interloqué. Cerf ne voulait pas du tout nous porter secours et j'avais de plus en plus le ventre noué par le stress. J'avais peur que les autres nous trouvent nuls de n'avoir pas su allumer un feu… et j'avais peur qu'Emma me prenne pour un vaurien.

J'ai rebroussé chemin pour aller les aviser de notre constat d'échec.

— On n'a pas de feu ! Et la mousse est trempée… la roche aussi… c'est sans espoir.

Cheval fougueux s'est essuyé le front avec le bas de son t-shirt.

— Mais il commence à faire froid et… comment on va faire cuire les dix poissons qu'on a pêchés ?

J'ai regardé les poissons cordés sur la grève. Je ne savais pas de quelle espèce il s'agissait, mais on aurait dit des bêtes préhistoriques. C'était hors de question que je mange ça cru !

— Je n'ai pas de solution.

Emma a regardé Corneille. Ce dernier, les mains dans les poches, avait l'air à son plus bas.

— Je n'aurais jamais cru qu'on se retrouverait coincés comme ça.

— Tu crois que tu aurais fait mieux avec le feu ?

Il a haussé les épaules.

— Non, je ne dis pas ça pour ça. Je suis juste pas mal déprimé. J'ai froid et j'ai faim… C'est suffisant pour déprimer un ado, ça, non ?

Emma a rigolé.

— Essayons encore une fois…

Je n'étais pas d'accord. Il pleuvait des cordes.

— Regardez l'arbre, là-bas ! Il est gigantesque ! Peut-être qu'on pourrait trouver de la mousse encore sèche ou presque dessous ? On peut tenter le coup !

Josée s'est exclamée :

— J'suis prête à essayer !

Cheval fougueux a acquiescé en dirigeant son regard vers la grève dans la direction que Couguar avait empruntée plus tôt.

— Je me demande ce que Couguar fout sous la pluie.

J'ai secoué la tête. J'avais d'autres chats à fouetter !

L'arbre de la sagesse

Au bout de dix minutes, Bikbi sur les talons, Cerf et Faucon sont venus nous rejoindre. J'avais du mal à comprendre leur attitude.

— Alors ?

Cerf s'est penché pour regarder ce qu'on prévoyait utiliser pour allumer le feu.

Emma s'est redressée.

— On fait de notre mieux, si vous voyez ce que je veux dire.

Faucon a jeté les poissons par terre, près des pieds d'Emma.

— Je vous ai apporté vos poissons. Ce n'est pas vraiment une bonne idée de les laisser traîner. Nous ne sommes pas seuls, ne l'oubliez pas ! D'ailleurs, je pars chercher Couguar… sa petite fugue a assez duré ! Viens, Bikbi !

Elle a commencé à descendre la butte sur laquelle on était tous montés, histoire de se cacher de la pluie sous un immense sapin. Cerf a croisé les bras et nous a regardés attentivement sans rien dire.

Inutile de croire qu'il allait venir à notre secours. Emma et Josée grelottaient et j'avais peine à imaginer que l'on puisse réussir, mais il le fallait !

Emma s'est jetée à corps perdu dans la science du tournage du petit bout de bois et Josée, quant à elle, soufflait sur la mousse qu'on avait réussi à dénicher sous les épines du grand sapin. C'était loin d'être la perfection en matière de préparation, mais c'était mieux que rien.

— Libellule tranquille, ça vient?

— Non... désolée.

Corneille a soupiré bruyamment.

— Vous voyez bien qu'on n'y arrivera pas! C'est carrément impossible sous cette pluie diluvienne! Y a pas à dire, on est dans la flotte jusque par-dessus les oreilles!

Cerf a frotté ses mains ensemble pour les réchauffer. Le vent s'en mêlait. On n'était pas en automne, mais c'était loin d'être confortable.

— Il faut persévérer, Corneille. C'est la seule façon d'arriver à un résultat!

— Un résultat, mon œil! Regardez-moi dans quelle pagaille on s'est fourrés! Non, mais c'est quand même incroyable! Marcher des milles et des milles pour venir s'échouer à la pluie battante avec une dizaine de barbottes sans aucun feu pour nous réchauffer et faire cuire notre dîner!

Je n'étais pas tout à fait d'accord.

— Corneille, il faudrait qu'on soit un peu plus positifs ! Je crois qu'on n'arrivera pas à grand-chose si on se met à penser comme ça ! C'est un peu tard pour ce genre de discussion. On est dans le bois jusqu'au cou ! Faudrait donner tout ce qu'on a en fait de pensées positives plutôt que le contraire.

— Hum…

Il n'était pas trop convaincu, mais au moins il avait décidé de se taire. C'était beaucoup mieux pour le moral des troupes. Mon regard s'est soudain porté sur le bord de la rivière où cinq petits canots nous attendaient pour la descente, probablement celle de la rivière. C'est là que tout s'est illuminé !

— Pourquoi ne pas y avoir pensé dès le début ?

Josée a relevé la tête.

— À quoi ?

J'ai levé mon index.

— Attends un peu ! Lapin fugueur, viens avec moi ! Cette fois, on va l'avoir, notre feu !

J'avais entendu la voix de la sagesse ! J'étais certain d'avoir trouvé la solution rêvée… et si ce que j'avais en tête fonctionnait, non seulement on réglerait notre problème de feu aujourd'hui, mais aussi pour tous les autres jours où la pluie viendrait se mêler de nos affaires !

Édouardo m'a suivi jusqu'à la grève. J'ai attrapé le rebord d'un canot.

— Prends ton bout !

— Mais…

— Allez, mon vieux ! Ne discute pas ! Il nous faut en monter deux en haut de la butte !

Édouardo a forcé en sortant la langue.

— Ça doit peser une tonne !

J'étais d'accord, mais ça valait bien la peine. J'ai réussi avec l'aide d'Édouardo à monter le premier canot sous le grand sapin. À ma grande joie, Corneille et Cheval fougueux avaient déjà entrepris de faire de même avec un autre canot. Tout le monde s'activait dans un même but. Obtenir du feu. On commençait à voir s'installer une énergie d'équipe qui faisait chaud au cœur.

J'ai finalement annoncé mon plan.

— On va avoir besoin de quatre bonnes branches qui soutiendront les bouts des canots pour nous créer un toit de fortune ! Je sais, il va falloir se faire mouiller encore… mais nous allons tous nous y mettre et les filles vont continuer de tenter leur chance pendant ce temps-là!

Cheval fougueux a remonté ses lunettes en hochant la tête et Corneille a acquiescé. Quant à Édouardo, il était déjà sorti de notre abri sous le sapin pour aller chercher ce que j'avais demandé.

Les grosses branches ont fini par être installées sous l'extrémité des deux canots, et ce, avec un succès surprenant. Ça nous donnait un espace de quasiment trois pieds pour circuler sous les embarcations. Cerf m'a gratifié d'une petite tape sur l'épaule alors que je m'apprêtais à retourner dessous encourager les filles.

— Je suis fier de ton initiative, Ours. Tu fais honneur à ton groupe.

— Je n'ai fait que tenter quelque chose.

Il a acquiescé en souriant. Dans le noir sous les canots, Emma et Josée travaillaient d'arrache-pied pour faire jaillir une flamme. Emma s'est alors arrêtée net.

— J'suis plus capable, les bras me brûlent!

Cheval fougueux a attrapé les deux bâtons et a continué sans s'arrêter pour ne pas perdre tout le travail qu'Emma avait déjà accompli.

— Regardez !

Une petite flamme a jailli de la mousse et Josée a délicatement soufflé dessus… c'est alors que la mousse s'est enflammée ! Cheval fougueux l'a glissée doucement sur les petites branches sèches qu'on avait pu trouver sous les plus gros arbres. Le feu a pris de la vigueur.

— On a réussi !

Emma, à bout de force, a éclaté en sanglots et s'est jetée sur moi. Elle pleurait à chaudes larmes en frissonnant. Je ne l'avais jamais vue aussi vulnérable physiquement.

— Ouais !

Corneille a sorti son petit canif et a attrapé un poisson.

— Engraissez-moi ce feu qu'on fasse rôtir cette horreur !

Cerf a éclaté de rire.

— Félicitations ! Cette horreur, comme tu l'appelles, Corneille, est en réalité un poisson délicieux. C'est un brochet !

Corneille a plongé son couteau dans le flanc du poisson.

— Délicieux ou pas, y est laid en maudit !

— Peut-être, mais c'est lui qui te nourrira ce midi. Sois respectueux de l'œuvre de la rivière et du Grand Esprit.

Je reconnaissais bien là toute la philosophie de Cerf argenté. J'étais aussi d'accord avec lui. Par contre, ce poisson n'avait a priori pas grand-chose d'attirant.

Cerf a attrapé le poignet de Corneille au bout duquel le poisson pendait sur la pointe du couteau de poche.

— Je vais vous montrer comment l'apprêter.

Patiemment, Cerf nous a enseigné comment couper des filets en enlevant le plus d'arêtes possible avant la cuisson. J'étais inquiet de notre feu qui ne prenait pas beaucoup de vigueur avec la pluie.

— Je me demande s'il y aura assez de flamme pour faire cuire les poissons.

Cerf m'a souri, tout à fait rassurant.

— Ne t'inquiète pas. Ce dont nous avons besoin, c'est un feu doux pour ne pas brûler la chair tendre du poisson. Si le feu est trop intense, la chair cuit en surface, mais pas à l'intérieur. Il ne reste plus qu'à déposer les filets sur des petites branches au-dessus du feu.

Grâce à cette réussite, le groupe avait retrouvé un certain enthousiasme. Tout le monde installait sa simili-brochette lorsque Faucon est revenue avec Bikbi... mais aucune trace de Couguar. Cerf s'est relevé, inquiet, et est sorti de sous les canots.

— Où est-il ?

Faucon était très inquiète, on le voyait bien par son regard et sa bouche pincée.

— Il n'a pas dû aller très loin, avec toute cette pluie... Il n'avait pas le choix de longer la rivière comme on en avait parlé, mais je crois... je crois qu'il s'est caché pour que je ne le trouve pas.

Cerf a froncé les sourcils.

— Même Bikbi ne l'a pas repéré ?

Faucon a secoué la tête.

— Il pleut beaucoup trop... la pluie efface toutes les odeurs... Rien à faire pour le moment s'il ne veut pas qu'on le retrouve.

Cerf a reniflé bruyamment.

— Il fait froid. De toute façon, avec cette pluie, c'est hors de question qu'on prenne les canots en portage, car on aurait vite fait de caler dans la boue. Nous allons passer la journée ici. Il va bien finir par avoir faim. Il va revenir après avoir réfléchi.

Cheval fougueux, inquiet, s'est avancé :

— Je ne crois pas qu'on devrait attendre qu'il revienne : peut-être qu'il s'est perdu ?

Cerf sourit calmement.

— Ça m'étonnerait. Couguar a besoin de faire le point. Il a beaucoup de problèmes de comportement à régler, et certains lui demandent d'être seul pour l'instant.

— Et s'il rencontrait un ours ?

Cerf m'a fixé en donnant sa réponse.

— Alors c'est que la rencontre devait avoir lieu.

— Mais…

Cheval fougueux était dans tous ses états. Il craignait pour son ami, et je le comprenais. Si Emma s'était retrouvée seule dans les bois avec cette pluie et les animaux qui rôdaient dans les parages, j'aurais été fou d'inquiétude. Mais en même temps, je comprenais ce que Cerf voulait dire. Couguar devait aller au bout de lui-même pour se comprendre. Je l'avais déjà fait à ma façon, et Édouardo aussi. En silence, nos yeux se sont croisés et j'ai su qu'il pensait la même chose que moi.

Le feu

Nous avons mangé tout ce que la rivière avait bien voulu nous donner, comme le disait si bien Cerf argenté. La pluie a ensuite commencé à ralentir son débit, pour le plus grand bonheur de tous. On a pu enlever un canot et s'asseoir dessus pour regarder les petites flammes danser.

Cerf a soupiré et a fermé les yeux. Il semblait méditer. Tout le monde le regardait avec attention. Corneille m'a soufflé à l'oreille :

— Qu'est-ce qu'il fait ?

— Je ne sais pas...

— Il a l'air de réfléchir... j'espère qu'il n'est pas en train de se rendre compte qu'on s'est trompés de chemin ?

— Bon sang, ce que tu peux être naze !

— Ben quoi ?

Je n'ai pas été obligé de m'imaginer quoi que ce soit. Cerf a commencé à parler, les yeux toujours clos.

— Vous savez, le feu a toujours eu une importance capitale pour l'homme. Il est aussi indispensable ici, dans notre région, que l'eau, l'air, la terre et l'éther. Ce sont les cinq éléments. L'éther représente l'espace, le néant où toute chose se crée. Pour nous, les Amérindiens, les éléments font partie de nous.

Tout le groupe était suspendu à ses lèvres. On aurait dit que même la forêt avait cessé ses bruits afin d'écouter Cerf transmettre sa sagesse.

— Je voudrais vous enseigner la force du feu. Le feu est un élément purificateur. Il peut enflammer les bonnes idées comme les préjugés. Et, grâce au feu, l'homme peut éclairer sa vie, tant sur le plan physique que sur celui de l'esprit. Voyez-vous, le feu consume les idées fausses et les cœurs sombres. Le feu attrape et absorbe l'énergie du vent qui lui donne force et chaleur.

Il s'est arrêté un peu pour réfléchir. J'étais complètement concentré sur ce qu'il disait. Il partageait littéralement ses connaissances avec nous. Pour moi, c'était un grand honneur. Il savait des choses dont personne avant lui ne m'avait parlé.

— La braise aussi est bonne, car elle garde le cœur de l'homme au chaud. C'est l'amour tout entier d'un peuple, symbolisé par le feu de la Terre et du Ciel, combiné en un effort de réunion. C'est comme la fusion d'un cercle d'or qui donne au corps le pouvoir de créer.

Là, je ne comprenais pas tout, mais je m'en foutais. J'aurais le temps d'y réfléchir.

— Dans la fumée s'élèvent les désirs et les prières de l'homme, car le feu est un messager. Celui de la Terre, de l'homme pour son Dieu qui reçoit la fumée comme un bouquet de fleurs à sa table. Divine réception faite, le Ciel renvoie sa réponse sous diverses formes. La réception du cadeau du Ciel dépend du pouvoir de l'esprit de l'homme.

Il est resté les yeux fermés et a respiré longuement. J'ai jeté un coup d'œil à Emma qui se trouvait à mes côtés. Elle avait également les yeux clos et sa respiration était calme et reposée. Ce n'était pas difficile de se détendre lorsque la voix calme et douce de Cerf emplissait l'espace.

Emma a ouvert un œil et j'ai été découvert.
— Quoi ?
— Ben… rien… c'est beau, hein ?
Emma a hoché la tête en silence tout en regardant Cerf qui méditait.

— C'est surtout très généreux de sa part de partager ses croyances avec nous. Ça me touche beaucoup.

Elle n'était pas la seule à être touchée. Cheval fougueux et Corneille avaient déposé leur tête sur leurs genoux et Édouardo, la tête sur l'épaule de Josée, avait l'air perdu dans ses pensées.

— Ouais, t'as raison.

On ne faisait que chuchoter et ma main s'est faufilée toute seule vers mon amulette. J'osais espérer qu'il allait m'en dire plus sur sa signification profonde. Ce que je savais sur elle était rudimentaire, et j'espérais pouvoir en apprendre plus. J'étais fasciné par toutes les connaissances que Cerf détenait, au point où je me demandais pourquoi j'étais si ignare.

— À écouter parler Cerf, je me trouve sans culture !

Emma m'a pincé le bras.

— Aïe !

— Arrête donc ! À chacun sa sagesse ! Ne te martyrise pas le cerveau.

Elle avait bien raison, dans le fond.

— Ouin… C'est vrai que je sais un bon nombre de trucs !

Elle m'a fait son plus beau sourire. Les cheveux à moitié détachés et les joues salies, elle était vraiment mignonne.

Cerf a tapé dans ses mains. Cela m'a quasiment fait tomber en bas du bout de branche sur lequel j'avais posé mon derrière.

— Nous allons ramasser le plus de bois sec possible sous les arbres. Je vais demander à tout le monde d'user d'imagination pour se faire un abri à l'aide des cinq canots que nous avons. Vous allez devoir vous coller un peu, car je crois que la nuit sera plutôt fraîche. Selon moi, la pluie va cesser demain. En attendant, nous allons devoir patienter un peu ici. Demain, le portage sera difficile, alors je vous demande d'économiser votre énergie. Quant à toi, Corneille, je t'avais prévenu que tu aurais une tâche supplémentaire à effectuer. Tu vas nettoyer les gamelles du repas !

— Toutes les gamelles ? C'est dégueulasse ! Je ne suis pas un plongeur, moi !

Cerf a froncé les sourcils.

— Toutes les gamelles sans exception !

Corneille les a ramassées en bougonnant.

Faucon a ajouté :

— Je voudrais que vous mettiez le bois d'allumage ici, juste à côté du feu. Il ne faut absolument pas qu'il s'éteigne, sinon je crains que ce soit difficile de le rallumer.

Tout le monde était d'accord. On allait s'activer quand Bikbi s'est mise à grogner. Cerf s'est retourné en mettant la main sur la croupe de la louve pour la faire taire. Couguar avait finalement décidé que c'en était trop de la pluie et de la faim. Il marchait d'un air négligé et défiant sur la grève. Son visage était caché sous son épaisse couette de cheveux noirs... complètement mouillée.

Il s'est arrêté devant notre minuscule feu et s'est réchauffé les mains sans regarder personne. Cerf l'a observé en silence.

— Quoi ? Qu'est-ce qu'il y a ?

Cerf s'est retourné et l'a ignoré. J'avais déjà entendu grand-maman Thérèse dire que la pire des insultes était l'ignorance. Je crois que j'étais d'accord avec elle. Elle me manquait, tout à coup… J'avais l'impression qu'elle traversait elle aussi des moments difficiles, physiquement et moralement, sauf qu'elle n'avait pas Cerf pour l'émerveiller et lui donner du courage. Elle était seule dans son combat contre le cancer.

Couguar a regardé une des cannes à pêche restée près du feu avant de l'empoigner en soupirant. Il encaissait mal sa défaite. Maintenant, il devait pêcher seul, apprêter son poisson seul et le manger seul. Triste constat pour le frustré qu'il semblait être. Il s'est levé et s'est dirigé vers la rivière.

Emma m'a retenu par la manche.

— Laisse-le faire. Si tu vas l'aider, il n'aura pas sa leçon.

— Tu crois?

— J'en suis certaine...

Elle avait sûrement raison. Mais compte tenu de ce que j'avais vécu avant, j'avais du mal à laisser quelqu'un seul dans une situation pareille.

— Ok...

Elle m'a attiré vers le canot que j'avais retiré du bord du feu.

— Vite, attrape ton bout avant que les autres le prennent! Ça va faire ça de moins à forcer.

J'ai jeté un dernier coup d'œil à Couguar et je me suis surpris à espérer qu'on puisse parler, lui et moi. Je ne savais rien de sa vie, mais quelque chose me disait que, si je mettais de côté ma peur de lui, j'allais découvrir quelqu'un de spécial.

Dure nuit

Je n'avais jamais cru qu'une nuit d'été pouvait être aussi froide. Emma s'est collée tout contre moi.

— J'ai vraiment froid ! Coudonc, c'est-tu juste moi qui ne dors pas ?

Josée s'est exclamée deux mètres plus loin, sous une grosse épinette :

— Édouardo ronfle comme un vieux trucker, mais moi aussi je gèle ben raide !

Emma a rigolé en grelottant.

— Bon, ça me rassure !

Le reste du groupe semblait dormir. Cependant, la forêt était vraiment bruyante. Emma a sursauté :

— C'est quoi, ça ?

— Quoi ?

— Ne fais pas ton innocent ! Le bruit de branche.

— C'est peut-être Bikbi ?

Emma a tourné ma tête de sa main libre.

— Regarde sur le bord du feu ! Elle est là…
ça doit être la seule qui a chaud, d'ailleurs !

J'ai rigolé dans mon sac de couchage.

— Veux-tu aller te blottir entre ses pattes ?

— Tu débloques ou quoi ?

— Peuh ! T'es pissou, Emma !

— Pas pantoute ! J'suis pas suicidaire, c'est
pas pareil !

— Cerf a dit qu'elle ne mordait pas. En tout
cas, elle n'a montré aucun signe d'agressivité
depuis qu'elle nous accompagne.

— Peut-être, mais c'est un loup !

Emma a entièrement rentré sa tête dans
son sac de couchage.

— J'ai froid ! C'est humide ! J'ai mal aux
pieds ! J'ai mal au dos ! J'ai mal partout ! Pis
encore pire : je n'ai pas moyen de m'plaindre
sans me faire niaiser ! Ahhhh !

On a entendu un « chut » excédé de la part
d'un autre campeur.

— Parle moins fort, Emma, sinon Cerf ou
Faucon risque de venir nous faire taire.

— Hum…

Le bruit de branche s'est répété derrière
nous et Emma s'est levée d'un bond, se cognant

le crâne sur le dessous du canot que j'avais réussi à installer en suspension au-dessus de nos têtes, histoire d'être au sec.

— Merde! C'est quoi, ça? Ouch! Ma tête!

— Chut!

— Ah! La ferme! J'viens de m'assommer, là!

J'étais aussi surpris qu'elle par le bruit de frottement qu'on entendait maintenant sur le dessus du canot.

Emma s'est accroupie d'un geste rapide.

— Oh non, il ne faut pas que ce soit un ours ou quelque chose comme ça...

— Chut! Arrête un peu!

J'étais moi aussi dans tous mes états et mon cœur battait à une vitesse folle. Josée a osé chuchoter.

— Il y a une ombre noire... là... sur le canot! Édouardo, réveille-toi!

Je n'allais quand même pas attendre qu'Édouardo vienne à notre secours. Il dormait comme une vieille souche. J'ai pris mon courage à deux mains et je suis sorti de mon sac de couchage. La brise glaciale m'a figé et les poils de tout mon corps se sont dressés.

— Y fait froid en maudit!

Emma m'a attrapé par le bras.

— Tu ne vas pas sortir ? On devrait plutôt faire les morts et se cacher dans nos sacs de couchage ! Et on criera si cette… cette chose vient nous inspecter de plus proche ! Non ?

Je n'avais pas le temps de répondre.

— Mady ! Mady ! Je te défends de sortir !

Je suis sorti quand même. Je mentirais si je vous disais que je n'avais pas peur de faire pipi dans mon pantalon, mais je me suis lancé, pour me retrouver face à face avec la chose qui me regardait avec ses gros yeux.

J'ai poussé un petit cri de surprise étouffé et j'ai reculé de deux pas. Emma s'est jetée hors de son sac de couchage pour se garrocher littéralement sur moi.

— Ne bouge pas ! Fais le mort ! J'ai lu ça dans un livre !

Josée, qui avait réussi à réveiller Édouardo, ne tenait plus en place.

— Édouardo, fais quelque chose !

Édouardo se frottait les yeux, à demi conscient.

— Qu'est-ce que tu veux ? T'es ben fatigante, là !

Le doigt pointé sur Emma et moi, Josée essayait de lui faire comprendre qu'on était en danger. Édouardo s'est exclamé :

— Veux-tu ben m'dire ce que vous faites là, bande de nonos ? Demain, ne venez pas me dire que vous êtes fatigués !

Josée pointait le dessus du canot où l'ombre s'agitait dans le noir.

— C'est quoi, ça ?

Josée lui a tapé le derrière de la tête.

— La raison pour laquelle Emma et lui sont couchés dans la bouette, comique !

Édouardo a attrapé sa lampe torche et a éclairé l'ombre.

— Hou… Hou…

Les yeux d'un immense hibou brillaient d'un vert fluo.

— Y faut pas être gêné pour réveiller l'monde à cause d'un hibou ! Franchement, Mady, t'es ben pissou !

J'étais frustré. Je me suis relevé d'un bond, faisant tomber Emma sur le derrière.

— J'vais t'en faire, pissou ! J'étais sorti pour voir ce que c'était, pis Emma m'a sauté dessus !

Édouardo a éclaté de rire.

— Ah, ça, c'est pas nouveau ! Bonne nuit !

Édouardo est retourné dans son sac et a jeté sa lampe torche à côté de lui.

— Peuh ! C'est ça ! Retourne te coucher, mon vieux !

Emma s'est approchée du hibou en question. Ce dernier restait très détendu. Elle s'est arrêtée à un mètre de l'oiseau. Je me suis placé à ses côtés. Emma a chuchoté :

— Regarde, on dirait qu'il n'a pas peur.

— En tout cas, il a moins peur que toi !

Elle m'a donné un coup de coude dans les côtes.

— Arrête de niaiser ! Tu crois que c'est un mâle ou une femelle ?

— Tu parles d'une question ! Comme veux-tu que je le sache ? J'vais quand même pas aller lui retrousser la queue pour voir !

— Mady !

— Ben quoi ?

Emma m'aurait sûrement fusillé du regard si j'avais continué de niaiser.

— Bon, ok... Qu'est-ce qu'on fait, là ?

Elle a soupiré en haussant les épaules.

— Ben... j'pense qu'on pourrait aller se coucher. Ce n'est pas trop dangereux, un hibou. Qu'est-ce que t'en penses ?

J'ai passé ma main dans ses longs cheveux châtains.

— Je pense que dans ton cas, ce qu'il y aurait de plus dangereux encore, ce serait un mulot dans ton sac de couchage ! Et là, avec cet oiseau, ça ne risque pas d'arriver ! Alors… oui, je pense qu'on devrait essayer de dormir !

Emma allait s'exécuter quand tout à coup le hibou a déployé ses ailes et, avant qu'on ait le temps de dire ou de faire quoi que ce soit, il s'est posé sur l'épaule droite d'Emma.

La respiration haletante, Emma a chuchoté :

— Mon Dieu ! Mady ! Qu'est-ce que je dois faire ?

C'est à ce moment précis que Cerf, qui avait été réveillé par nos exclamations, est arrivé.

— Qu'est-ce qui se passe, ici ?

La réponse lui est venue sans qu'aucune parole soit prononcée. Emma se tenait toute raide, le cou rentré dans les épaules, la respiration rapide.

— Je vois qu'on est venu te trouver, Faon charmeur…

— Je... je... oui... enfin, je ne sais pas trop ce qui se passe.

Cerf a souri et s'est approché.

— Il semblerait que le totem du hibou se présente à toi. Quelle belle nuit pour cette rencontre ! Une nuit fraîche, certes, mais où la lune éclaire d'une douce lumière perlée.

— Oui... je... j'imagine, mais qu'est-ce que je fais au juste, maintenant que ce volatile nocturne m'a adoptée... je veux dire... ce n'est pas trop confortable, ses griffes dans mon épaule !

Comme si le hibou l'avait entendue, il s'est envolé sans un bruit. Cerf l'a suivi du regard, jusqu'à ce qu'il disparaisse dans la forêt noire.

— Tu as de la chance. Tu as reçu un beau cadeau, ce soir. Le hibou ne choisit que très rarement d'approcher l'homme.

Emma était aussi stupéfaite que moi.

— Je... je dois en déduire quoi, au juste ?

Cerf a hoché la tête.

— Va dormir et on en parlera demain.

Emma a penché la tête pour entrer dans notre abri improvisé sous le canot et un petit cri de surprise est sorti de sa bouche.

— Regardez !

Elle a ramassé une belle plume sur le dessus de son sac de couchage.

— C'est une plume de hibou! Vous avez vu?

Cerf a acquiescé, tout sourire.

— Maintenant, dors… et garde bien cette plume. Dorénavant, elle fera partie de ton voyage. Prête attention à tes rêves, cette nuit. Ils t'enseigneront qui tu es, a-t-il déclaré avant de partir.

Je ne savais pas ce que Cerf avait voulu dire par là, mais je savais que la nuit allait prendre un tournant beaucoup plus calme.

— Je suppose qu'il est vraiment temps de dormir, maintenant…, a dit Emma.

J'ai acquiescé.

— J'espère que tu feras des beaux rêves…

Emma s'est faufilée dans son sac en silence. Elle a frotté ma joue avec la plume en fermant les yeux sans ajouter un seul mot.

Sans rien dire, on s'était mis d'accord: cette forêt avait quelque chose de magique.

Le portage... une invention masochiste!

J'avais de la difficulté à marcher en cadence avec mon compatriote de la journée. En fait, moi qui pensais pouvoir être avec Emma dans le canot, je m'étais mis le doigt dans l'œil jusqu'au coude. Cerf en avait décidé autrement. Je partageais donc ma journée avec le Couguar solitaire! Autant dire que j'allais devoir me parler tout seul. Ou encore faire la conversation avec les mouches noires et les maringouins. Ils étaient si nombreux avec la pluie d'hier que j'avais l'impression d'avoir au moins dix piqûres juste sur le nez.

— Maudites bibittes!

— Ouais!

Le canot sur la tête et le sac à dos en équilibre sur le dos, y avait de quoi pogner les nerfs! Surtout que Faucon avait trouvé un bosquet de mûres et qu'on n'avait mangé que ça pour déjeuner! Mon ventre criait déjà famine et j'avais mal. En fait, j'avais des crampes, et j'espérais ne pas avoir trop de problèmes de ce côté-là... Disons que s'essuyer avec des feuilles...

— Coudonc! Tu te concentres ou quoi?

— Ben oui! J'ai juste de la misère avec le tempo! Tu marches vite et je suis asthmatique!

— Bon! Les excuses!

Ce gars me démangeait presque autant que les insectes! Je maudissais intérieurement Cerf de m'avoir obligé à faire équipe avec lui.

— Je ne te demande pas de me croire! J'te dis juste pourquoi ça branle un peu!

Il a secoué la tête par-derrière en repoussant sa mèche noire.

— Je déteste ça! En plus, ce canot pèse lourd!

J'étais bien d'accord avec lui sur ce point. Cerf nous avait promis qu'on aurait tout juste une heure de marche à faire avec le canot sur la tête et qu'après une superbe journée nous attendait.

J'étais prêt à le croire, mais... j'avais de plus en plus mal au ventre.

— Je m'excuse, Couguar! J'ai vraiment mal au ventre!

Il s'est arrêté en soupirant.

— Je pense qu'on a le droit d'aller au petit coin. On n'est quand même pas dans l'armée, que je sache !

Cerf s'est aperçu qu'on s'arrêtait.

— Qu'est-ce que vous faites, les gars ? Vous retardez le groupe !

Couguar a encore rouspété :

— Ours a envie de… vous savez !

Cerf a acquiescé.

— Bon, d'accord ! Vous suivrez nos traces sur la grève ! Nous, on continue !

— D'accord ! Pas de problème !

J'avais déjà jeté mon sac à dos par terre et je me suis élancé dans les branchages pour me mettre un peu en retrait. J'avais le ventre qui voulait me fendre en deux. C'était pire qu'accoucher… à mon avis !

— Ahh…

J'ai réussi à me mettre en petit bonhomme quelque part à l'abri entre une grosse roche pleine de mousse et un arbre que je ne connaissais pas. Et là… là… je ne me suis jamais autant ennuyé de ma mère !

J'avais des crampes et la nausée et il semblait, à la lumière de ce que j'expulsais, que je ne digérais pas du tout le brochet de la veille !

Je me demandais pourquoi deux filets de brochet me rendaient malade à ce point alors que je n'avais aucune difficulté à ingurgiter un sac complet de crottes de fromage et un litre de boisson gazeuse.

Comme disait ma grand-mère : « Un bon repas de swill n'a jamais tué personne ! », comparant bien sûr la nourriture de la cantine du coin à celle donnée aux porcs. Mais là je n'étais pas certain de survivre à mon repas. Entre la swill et le brochet, il y avait une différence !

J'avais toujours des crampes terribles et chacune me faisait… vous savez quoi !

— Ours ! Maudit ! On ne va pas y passer la journée !

Non mais, pour qui il se prenait, lui ? Pas moyen de faire le sale boulot en paix ?

— Je… j'en arrache, là ! Donne-moi cinq minutes, s'il te plaît !

Le silence… j'espérais qu'il n'allait pas venir me narguer jusque dans ma cachette !

— Ahhhh…

Un violent spasme m'a jeté à genoux et j'ai dû prendre appui sur la grosse roche devant moi pour ne pas tomber dans mon espace, disons-le, souillé un brin. Un haut-le-cœur m'a secoué et je n'ai pas pu me retenir.

Tremblotant, j'ai enfin pu me décider à remonter mon short, que j'espérais sain et sauf. J'avais toujours le ventre torturé, mais c'était mieux…

Je suis sorti de ma cachette avec la ferme intention de tenir debout malgré mes étourdissements.

— Ouuuuh, tu n'en mènes pas large, toi ! T'es blanc comme un drap !

— Je le sais… Je te l'ai dit que j'avais mal au ventre !

Une chose étonnante s'est alors passée.

— Bon, ok, vieux, donne-moi ton sac ! Je ne peux pas porter le canot tout seul, mais je peux encore tenir bon avec ton sac sur le devant.

— Tu…

Il a secoué la main.

— Allez ! Donne-le-moi avant que je change d'avis !

À contrecœur, j'ai déposé mon sac devant lui. J'étais plutôt gêné de devoir compter sur lui…

C'était la deuxième fois en trois jours qu'il portait mon sac. Mais cette fois-là, c'était à cause de moi. Ou plutôt de mon estomac de minette!

— Bah! Ce n'est pas grave! J'suis certain que tu ferais pareil si j'étais dans ta situation. Hein?

J'ai acquiescé. Sur ce point, il avait raison.

Une fois le groupe rejoint, il ne restait plus que vingt minutes de marche à faire, au dire de Faucon qui menait la marche avec Cerf sous leur canot. La louve marchait un peu avec nous, un peu dans les bois, mais, chose étonnante, elle nous suivait toujours, comme l'aurait fait Puddy. Bizarre de loup!

— J'espère que tout le monde tient bon?

Un « oui » enthousiaste s'est élevé du groupe. J'aurais eu autant envie de faire du canot dans la rivière que les autres, sans ce maudit mal de ventre qui me sciait encore en deux. Cerf a ordonné un arrêt quelques mètres plus loin pour boire un peu.

Tout le monde a déposé son canot avec son partenaire. Le regard de Cerf s'est posé sur moi et sur Couguar. Il a tout de suite remarqué que Couguar portait mon sac à ma place. Il a fait signe à Faucon d'attendre un peu et s'est dirigé vers nous.

— Voilà un beau geste, Couguar!

Ce dernier a eu un petit sourire de travers, l'air de dire : « Dégage. »

— Ouais…

Cerf a déposé sa grande main sur mon épaule.

— Je vois que tu ne vas pas trop bien.

Je n'en menais pas large.

— Non, j'ai des crampes terribles. On dirait que je vais m'ouvrir en deux!

Il a acquiescé.

— On va se rendre jusqu'au point de départ de la randonnée sur la rivière et tu monteras en canot avec moi. Tu n'auras pas à pagayer. Quant à toi, Couguar, ce geste est vraiment gentil de ta part. Je pourrai passer l'éponge sur quelques comportements inacceptables si tu continues à bien agir.

Couguar a haussé les épaules.

— Enfin, tu te comportes en vrai leader!

Couguar a haussé un sourcil, mais n'a rien rajouté. J'ai regardé Cerf avec des yeux de chien battu.

— Tu n'aurais pas une plante que je pourrais avaler qui me soulagerait?

Cerf a éclaté de rire devant ma tête de fantôme, blanche comme un linge.

— Tu dois tout d'abord te purger de ce qui est mauvais. Je vais surveiller ton état et on verra tout à l'heure! D'accord?

— Bon…

Je n'avais pas vraiment le choix. Il avait décidé de me laisser me vider les entrailles! J'allais mourir seul dans les bois avec un rond de vomi entre les deux jambes!

Mon regard s'est porté sur Emma qui, découragée, se frottait les pieds et les chevilles. Je n'allais quand même pas me mettre à brailler comme un bébé alors qu'elle souffrait, mais avançait sans rien dire! J'allais reprendre mon côté de canot quand une douleur atroce m'a traversé la nuque.

— Aïe!

Couguar a sursauté.

— Quoi, encore?

— Aïe!

Je capotais! J'avais le cœur qui me battait derrière la tête. J'ai porté une main à cet endroit et elle m'est revenue tachée de sang.

— Hey! Je saigne!

Couguar a pouffé de rire.

— Pauvre toi! C'est ta première rencontre avec une mouche noire! Ça fait mal, hein?

— Mets-en!

Couguar a levé son pantalon de toile.

— Regarde! C'est principalement pour ça que j'suis rentré au camp, hier! La pluie me tapait sur les nerfs pis j'avais froid, mais...

Il avait les jambes remplies de boursouflures rouges. Un peu dégueu.

— Ça ne fait pas trop de bien!

J'étais bien d'accord.

Nous sommes enfin arrivés à une petite plage près de la rivière. Les canots étaient devenus si lourds que j'avais l'impression de ne plus avoir d'épaules. En fait, j'avais si mal partout que j'étais sur le bord de rendre l'âme. Et je n'exagère pas!

Cerf a demandé à toutes les équipes de se regrouper autour de Faucon et lui pour un cours de canotage. Par chance, la rivière par ici était plus calme et les rapides ressemblaient à des petits moutons sur l'eau.

— Je voudrais vous voir tous très attentifs ! Attentifs à la rivière et à votre partenaire ! Profitez du paysage et, s'il vous plaît, gardez en tête que la sécurité est de mise ! Nous sommes très loin de toute civilisation, ne l'oubliez pas !

Emma s'est installée avec Josée et j'ai eu droit à un petit salut de la main. J'étais déçu. Un voyage en canot seul avec elle ne m'aurait vraiment pas déplu, mais tant qu'à vomir par-dessus bord toutes les dix minutes devant sa face, plutôt mourir ! Ce serait Cerf qui allait m'endurer. Moins gênant.

On a été les derniers à partir dans notre canot. Avec un peu de retard, parce que j'avais, comme disait grand-maman Thérèse, « le derrière en chou-fleur » !

Cerf a commencé à pagayer pendant que j'avais les deux bras croisés sur mon ventre.

— Ça va aller ?

— Pas le choix…

— Essaie de profiter du paysage, Ours…

J'ai soupiré. Facile à dire… Mais en même temps, je me suis trouvé privilégié, tout à coup. J'aurais pu être malade dans un lit d'hôpital comme grand-maman, mais j'avais plutôt la chance de l'être en pleine nature dans un canot sur la rivière !

Grand-maman n'avait pas cette liberté. À cette pensée, mes yeux se sont remplis de larmes et je me suis retourné pour que Cerf ne me voie pas.

Le canot filait à toute allure. C'était super même si j'avais le cœur au bord des lèvres.

— Ah... La nature dans son plus simple appareil : que les arbres, le son de la rivière... N'est-ce pas tout ce qui compte, ici-bas ?

J'étais perdu dans mes pensées.

— Peut-être...

— Tu n'es pas d'accord ?

J'ai haussé les épaules.

— Si... c'est juste que je me questionne un peu, présentement.

Une violente crampe m'a traversé le ventre.

— Ouch...

— Tes intestins te font encore souffrir... Je vais te donner quelque chose au campement, tout à l'heure.

J'étais déçu, j'aurai voulu l'avoir tout de suite, ce quelque chose. Cerf l'a perçu.

— Lorsqu'on est malade, c'est le cœur qui agit sur la souffrance intérieure. C'est un déséquilibre. Il faut rééquilibrer ton corps et comprendre pourquoi tu te sens tout retourné comme ça.

Je ne saisissais rien.

— Ma mère me donne du Pepto-Bismol quand je file de même !

Cerf a souri calmement en poussant sa pagaie dans l'eau.

— Ma mère me demandait de méditer sur la raison qui me poussait à me rendre malade, et elle me traitait avec des herbes pour soulager mon corps. Mais je devais aussi soulager mon esprit pour ne pas retomber malade ensuite.

— Soulager ton esprit ?

Cerf a acquiescé.

— Oui. Demande à ton cœur, à ton corps, ce qu'il refuse de comprendre. Demande-lui pourquoi il rejette les aliments que tu absorbes. Demande à ton âme ce qu'elle refuse.

J'ai acquiescé en silence. Je n'avais jamais pensé à cette façon de voir les choses, et je ne comprenais pas trop comment j'allais entrer en communication avec mon corps.

— Je veux bien, mais… comment on fait ça ?

— On fait le vide en soi. On ferme les yeux et on attend. On attend de voir une image nous apparaître, un signe dans notre entourage, une parole, une impression. On appelle cela l'ouverture. Cette ouverture nous donne ensuite la connaissance d'une partie de nous qui se cachait.

— Et si ça ne fonctionne pas, qu'est-ce qu'on fait ?

Cerf a souri.

— On recommence. On écoute et on attend. Il se peut que la personne qui demande d'être éclairée ne soit pas prête à entendre. Le cœur a ses limites qu'il faut respecter !

— Tu veux dire quand c'est trop doulou-reux ?

— Oui, ça peut être dit comme ça.

Cerf a pagayé en silence pendant un temps. Je n'arrêtais pas de retourner notre conversation dans tous les sens dans ma tête. Je savais que j'avais de la difficulté à comprendre et à accepter un paquet de choses. Par contre, je n'avais jamais pensé que ça puisse me rendre malade. J'étais prêt à écouter mon dedans… pourquoi pas ? C'est vrai que ce camp poussait mes limites à bout et que je me sentais plus fragile.

— Cerf ?

— Hum ?

— Ton peuple connaît-il un remède contre le cancer ?

Cerf a arrêté de pagayer et ses épaules se sont affaissées. Il ne s'est pas retourné pour me regarder.

— Le cancer est un grand déséquilibre, mais rien... rien n'est impossible, Ours.

Mon cœur s'est empli d'un espoir nouveau. Peut-être après tout que grand-maman allait y survivre ? Qui pouvait prédire l'avenir ? Le fait que même Cerf pense que ce puisse être possible m'emplissait de joie. Tout à coup, j'avais moins mal au ventre.

— Tu as quelqu'un dans ta famille qui a un cancer, Ours ?

— Oui, ma grand-mère.

— Un lien fort vous unit ?

— Je pourrais dire que oui, sans aucun doute.

Je jouais avec l'eau en regardant ailleurs. J'avais peur qu'il me fixe et qu'il voie comment je me sentais pour vrai, au fond de moi.

— Je suis persuadé que le Grand Esprit écoutera tes prières. On trouve toujours la réponse dans son cœur.

J'étais légèrement surpris de sa réflexion. C'était la première fois que j'avais une longue conversation comme celle-là avec lui. Je dirais même que c'était la première fois que j'avais une conversation sur la spiritualité. J'avoue aussi que c'était la première fois qu'on me suggérait de prier pour régler un de mes soucis.

— Je… j'ai déjà prié, Cerf… Enfin, je pense. Mais dans ma famille on n'est pas trop religion, tu vois ?

Il a soupiré.

— Je vois.

Je ne voulais pas qu'il croie que je n'étais pas ouvert à ses enseignements et j'ai aussitôt ajouté :

— Peut-être que tu pourrais m'apprendre comment ton peuple prie ?

Il a recommencé à pagayer lentement.

— J'accepte de t'apprendre.

Un cri d'oiseau au-dessus de nos têtes a attiré notre attention. Cerf a souri en plissant les yeux.

— Le Grand Esprit vient de te répondre, Ours…

Je n'y comprenais rien !

— Hein ? Comment ça ?

— Le faucon, pour mon peuple, est le messager de Dieu. Tu auras tes réponses quand le temps sera venu.

Mes yeux se sont rivés sur le faucon qui planait au-dessus de nos têtes en décrivant des cercles. Le vent le poussait sans qu'il fasse aucun effort.

— On dirait qu'il n'a même pas besoin de battre des ailes…

Cerf a hoché la tête.

— Oui, il lâche prise. Il n'a qu'à se laisser porter par la brise et regarder plus bas dans le garde-manger de la Mère Terre.

— La Mère Terre ?

— Pour mon peuple, la Terre est une mère qui nous nourrit. Elle nous offre tout ce que l'on peut espérer. Des plantes pour nous soigner, des plantes qui nourrissent, des animaux qui nous fournissent la viande, la chaleur de leurs fourrures, de l'eau dans laquelle vivent les poissons, le vent pour transporter les graines des arbres, les abeilles pour polliniser les fleurs… La Terre nous nourrit sur les plans physique et spirituel.

Elle nous donne les minéraux pour nous soigner. Encore faut-il avoir foi en elle.

Je buvais littéralement ses paroles. Je me sentais privilégié d'avoir cette conversation avec lui et j'avais le cœur léger.

— Je suis content que tu m'expliques tout ça.

— Je sais que tu m'écoutes, car c'est une de tes plus belles qualités. Ne la perds jamais. C'est d'ailleurs de ton écoute que ton compagnon Couguar aura besoin dans les prochains jours.

Je savais que Couguar avait des problèmes, mais j'en ignorais la source.

— Il a vraiment un caractère de cochon !

Cerf a éclaté de rire en secouant la tête.

— C'est un meneur frustré ! Il le doit selon moi à sa mère, qui le brime beaucoup, à ce que j'ai entendu. Malgré tout, je crois qu'il pourrait réussir à se confier à toi.

Je l'espérais, quoique...

— Je souhaite bien que ça se produise, mais je ne sais pas si ce gars est prêt à faire un effort. Il semble assez dur à cuisiner ! Façon de parler !

— Oui, c'est un type coriace, mais tu as de l'expérience !

Il parlait d'Édouardo.

— C'est vrai…

Il a gardé le silence et j'ai admiré le paysage. On était maintenant dans une section très calme de la rivière. L'eau miroitait au soleil et, si on regardait vers la berge, on voyait d'immenses sapins et des épinettes. Enfin, je ne m'y connais pas beaucoup en arbres, alors on va dire que des arbres avec des épines se reflétaient dans l'eau malgré le léger courant.

C'était vraiment enivrant. Je me sentais mieux ; la nausée m'avait enfin quitté pour de bon. J'étais encore un peu étourdi, et heureux de ne pas avoir à pagayer. J'avais la sensation que, maintenant, ça irait mieux. Le ciel était rempli de gros nuages ronds et dodus qui se promenaient lentement. Le vent était présent, mais pas trop fort. J'avais en tête le faucon de tout à l'heure et, en fermant les yeux, j'avais presque l'impression moi aussi de planer dans le vent…

— Tu devrais boire un peu, maintenant.

Cerf me tendait ma gourde d'eau.

— Tu crois ?

Il a hoché la tête et j'ai avalé quelques gorgées. Ça faisait un bail que je ne me l'étais pas autorisé et j'avais une haleine de crotte de mouette ! Enfin, je vous épargne les détails !

— Est-ce qu'on va encore coucher à la belle étoile, ce soir ?

— Non.

Il n'était pas aussi bavard que tout à l'heure.

— Alors on va dormir où ?

Un petit sourire en coin s'est dessiné sur sa bouche.

— Tu vas voir ! Il va encore falloir fournir quelques efforts, mais tes amis vont t'aider. N'aie pas peur !

J'étais étonné.

— Je n'ai pas peur !

— C'est pourtant la base de tous tes problèmes, non ?

Je ne pouvais pas m'obstiner avec lui. C'était quand même vrai que j'avais un peu peur de tout ! Bon, pas de tout, mais d'un paquet de trucs ! J'avais eu peur d'Édouardo, j'avais eu peur de Julie, des jumelles, de mon amour pour Emma, d'un lot considérable de choses ! J'étais obligé de constater en mon for intérieur qu'il avait raison !

— Peut-être.

— Le reconnaître, c'est déjà un pas en avant. Tu vas dormir au sec, cette nuit ! Ce sera plaisant !

Je me suis contenté de hocher la tête en silence. J'aurais préféré ne pas me faire dire en pleine face que j'étais un peureux, mais malheureusement, je ne pouvais pas le contredire.

La construction la plus compliquée de ma vie!

J'étais de retour sur la terre ferme. J'étais content, mais en même temps j'aurais aimé continuer de discuter avec Cerf encore un moment. L'avoir pour moi tout seul avait été très instructif. J'allais travailler sur moi.

Emma m'a accroché :

— Comment tu vas ? J'espère que tu peux boire un peu ?

— Oui… arrête de t'en faire.

— Ok…

J'ai chatouillé son menton du bout du doigt.

— J'espère qu'on va pouvoir se laver, ce soir… j'en ai vraiment besoin !

Emma a éclaté de rire.

— Épargne-moi les détails !

— Tout le monde !

Faucon venait tout juste de retirer la grosse caisse de métal de sa cachette. Elle contenait un paquet de toiles et de fourrures entremêlées.

— Je vous annonce que nous allons passer la semaine ici, sur la berge de cette magnifique rivière. Plus loin derrière, dans les bois, il y a une superbe petite chute avec un bassin d'eau. Vous pourrez vous y laver en toute tranquillité. Mais avant…

Elle a sorti une grosse toile de la caisse.

— Placez-vous en équipe de deux ! Je vous remettrai une toile comme celle-ci, qui recouvrira votre tipi !

Édouardo s'est étonné :

— Un quoi ?

— Un tipi ! Cerf va vous montrer ce dont vous aurez besoin pour le fabriquer. Entre-temps, j'aurai pitié de vous et je vais vous préparer à dîner avec ce qu'il y a là-dedans !

Elle a sorti une autre caisse d'entre les fourrures et les toiles.

— Cette caisse contient un chaudron, des pâtes alimentaires et de la sauce !

Il était temps que je mange quelque chose de civilisé… si je réussissais à l'ingurgiter.

Après l'explication en détail de la pose de la toile et du montage de la structure, Cerf nous a annoncé qu'on avait besoin de huit petits troncs de sapin dépouillés de leurs branches. Il paraît qu'en plus on avait de la chance, car d'habitude on utilisait quatorze troncs. J'aurais préféré creuser ma tombe tout de suite !

Je ne me suis pas immédiatement jeté sur ma hachette. On aurait dit que mon cerveau refusait de coopérer.

— Psitt ! Mady ?

Emma tirait sur une de mes mèches de cheveux.

— Aïe ! Quoi ?

— Veux-tu que je m'occupe des troncs ?

J'étais encore tout étourdi par mon épisode de diarrhée, mais je n'allais quand même pas faire travailler ma blonde à ma place !

— Je ne veux pas que tu fasses ça toute seule !

Emma a secoué la tête.

— Oui, mais… tu ne vas pas très bien.

J'étais déterminé.

— Tant pis !

Je ne voulais pas que mon état physique me fasse passer pour quelqu'un qui ne fait pas d'effort. Ça faisait deux fois que Couguar se voyait forcé de porter mon sac et Emma, elle, avait les pieds en compote et pourtant, elle assurait! Alors pas question que je me dégonfle!

J'ai trouvé le premier de quoi fabriquer le tipi. J'avais la situation en main. Tout le monde s'était dispersé assez rapidement dans les environs. Heureusement que Cerf et Faucon nous avaient bien dirigés, car c'était vraiment sauvage, ici. On aurait été capables de se faire tomber un arbre sur la tête!

— Regarde ça, Emma!

Elle a acquiescé, la tête complètement renversée en arrière.

— Ouais, mais il n'est pas un peu trop haut, ton sapin?

— Bah! On va pouvoir le couper en deux et faire d'une pierre deux coups!

Emma a soupiré.

— J'suis pas sûre!

— Ben voyons!

J'ai assumé mes mots en me jetant avec la hachette sur le tronc du sapin. Le coup m'a résonné dans les avant-bras et, malheureusement pour mon ego de mâle, j'en avais à peine écorché l'écorce.

Emma rigolait derrière mon dos. Pas question de me faire ridiculiser! J'y suis allé de nouveau avec toute ma force, quitte à voir des étoiles!

— Fais attention, Ours!

— T'en fais pas! Regarde le pro!

J'en ai mis plus que le client en demandait. J'étais étourdi à cause de ma déshydratation, mais je me suis repris et j'ai finalement fait une superbe entaille à l'arbre.

— Regarde ça! Je t'avais bien dit que je savais m'y prendre, hein?

Emma m'a fait une super grimace.

— Ouais… on dirait bien! Continue! On n'a pas toute la journée! J'ai vraiment hâte de goûter aux pâtes de Faucon!

Je ne sais pas pourquoi tous les gars perdent la tête en présence des filles. Je ne sais pas pourquoi on a toujours envie de prouver qu'on est le meilleur. Pourquoi on demande à continuer même quand on est au bout du rouleau et que notre corps veut lâcher. Non… je ne saurais dire pourquoi.

Une chose est certaine, j'suis un gars comme les autres, loin d'être l'exception à la règle!

J'ai pris l'élan du siècle en me disant que ce serait le coup de grâce pour mon arbre. Seulement, j'ai aussi eu à ce moment l'étourdissement du siècle, qui m'a fait voir en double! Tout s'est passé très vite.

— Oh!

J'avais les quatre fers en l'air et la hachette plantée dans le mollet.

— Ahhhhhhh!

Emma s'est jetée sur moi.

— Merde! Je t'avais bien dit de te maîtriser un peu!

— Je vais perdre ma jambe?

Emma s'est mise à crier de toutes ses forces.

— Au secooooooooours!!!! Viiiiiiiiiite!!!!

Elle a attrapé son sifflet de secours et a soufflé dedans à en perdre haleine. Je tremblais à cause de l'adrénaline. J'ai jeté un œil à ma jambe. Le sang giclait.

— J'ai... mal au cœur!

— Ne regarde pas, Mady! Ne regarde pas!

— J'ai...

Je voyais tout tourner. La cime des arbres a fini par se fondre dans un trou noir.

— Mady!!! Merde!

Emma a appuyé sur ma plaie et s'est mise à crier de plus belle. Mais cette fois-là, c'était inutile, puisque Cerf arrivait en courant avec Faucon sur les talons.

— Qu'est-ce qui se passe ici ?

Voyant que j'étais allongé de tout mon long, inconscient, il s'est jeté à genoux près de moi. Il a attrapé mon poignet pour prendre mon pouls, ce qui l'a rassuré.

— Voyons voir cette plaie. Calme-toi, Emma, ce n'est rien, tu vas voir.

— Mais il est inconscient !

— Je sais, mais connaissant Ours, je pense que c'est la peur qui l'a gagné.

Emma s'est jetée dans les bras de Faucon.

— Viens, ma belle, je vais t'aider à ériger votre tipi. Ensuite, on fera à manger ensemble pour le groupe. Cerf va bien s'occuper de lui. On va aller rassurer les autres, ok ?

Emma a acquiescé en silence.

— Cerf, tu as besoin de quelque chose ?

— Non. Je vais le soigner ici. Ensuite, je le ramène près du feu.

Il a commencé par me ramener à moi, sans trop de difficulté. Il a ensuite retiré la hachette de mon mollet.

— Aïe!!!

Il a appuyé fortement sur ma plaie et s'est installé.

— Tu as encore joué au cow-boy?

Je n'avais pas trop envie de répondre à cette question et, pire encore, j'étais si étourdi que mon cerveau menaçait de prendre une autre pause.

Cerf a secoué la tête, découragé.

— La plaie est profonde. Je vais devoir la désinfecter et la recoudre.

Je suis rapidement devenu lucide.

— Quoi? Qu'est-ce que tu dis?

Cerf a rigolé en sortant d'une main une petite fiole de sa besace. Il en a retiré le bouchon avec ses dents. Il a versé quelques gouttes du contenu sur la plaie en relâchant un peu sa pression. Le sang s'est remis à gicler. J'étais de nouveau faible.

— Quelle horreur!

Cerf a secoué la tête.

— Le résultat de l'inexpérience.

Qu'est-ce que je pouvais ajouter à ça?

— Aïe! Ça chauffe!

— C'est l'action des plantes antiseptiques dans le désinfectant que j'ai concocté.

— Ma mère met toujours du peroxyde quand je me blesse.

— Ne t'inquiète pas. Ceci est vraiment très efficace.

Je l'ai regardé attentivement. Ses longs cheveux noirs de jais étaient attachés avec un lacet de cuir. Une petite plume ornait le nœud qu'il s'était fait. Il portait toujours son pantalon de daim, avec un t-shirt, cette fois-ci. C'était la première fois que je remarquais son odeur. Il sentait un mélange d'huile aromatique citronnée... sûrement un autre de ses trucs pour ne pas se faire dévorer par les mouches noires. Il n'avait de piqûre ni sur les bras ni dans le cou !

— Je vais maintenant te recoudre.

Juste à y penser, j'avais le tournis.

— À froid ?

J'avais déjà eu des points de suture avec un analgésique à l'hôpital et j'avais souffert le martyre... je n'osais pas imaginer ce que ce serait aujourd'hui.

— Tu vois un hôpital, peut-être ?

Son sens de l'humour me donnait des sueurs froides.

— Bien sûr que non... Sauf que je me demandais si tu connaissais une plante qui ferait en sorte que je ne sente rien?

Cerf a rigolé.

— C'est certain... Mais malheureusement pour toi, je n'en ai pas à portée de la main!

— Ok.

J'ai reniflé.

— Tu vas avoir mal, mais au moins, tu vas te souvenir de cette journée lorsqu'une autre envie de faire le fanfaron te prendra! Tu aurais dû laisser Faon charmeur t'aider.

— Je ne voulais plus que quelqu'un fasse le travail à ma place!

Il a haussé les sourcils.

— C'est pourtant ce que je m'apprête à faire.

— Comment ça?

— Tu voudrais te recoudre tout seul?

Il n'allait pas faire ça, quand même.

— Non! Surtout pas!

— Voilà! Dans la vie, il faut savoir s'arrêter et demander de l'aide. Et il faut ensuite savoir l'accepter! Ça, c'est le plus important.

— Mais je l'ai acceptée!

— Tu t'es senti redevable. Se sentir redevable, c'est bien. Cependant, on ne doit pas
rendre à tout prix. Tu dois apprendre à recevoir!
Lorsque tu rends service, attends-tu toujours
quelque chose en retour?

— Bien sûr que non!

— Alors pourquoi ne pourrait-il pas en être
pareil pour toi, Ours?

Je ne m'étais jamais arrêté à ça. C'était
vrai que j'avais toujours le sentiment de devoir
rembourser les autres.

— Hum... Mais tu ne vas pas me laisser
me recoudre tout seul, hein?

Cerf a sorti une longue et fine aiguille d'un
petit étui.

— Je vais le faire pour toi. Un jour peut-
être seras-tu capable de panser tes blessures
toi-même. En attendant, je suis là.

J'ai croisé les bras sur ma poitrine et j'ai
fermé les yeux.

— Merci.

— C'est normal. Tiens! Mords ce petit
morceau de bois!

— Je...

— Oui?

— J'ai le droit de crier ?

— Bien sûr. Mais sache que chez mon peuple, on garde les cris pour les grandes douleurs. À chacun son degré de tolérance.

— Je ne veux pas être pessimiste, mais... je sens que je ne vais pas être un exemple de courage.

Cerf a enfilé son aiguille et, en appuyant fortement sur la longue coupure, il l'a plantée une première fois.

— Ahhh ! Ah ! ! ! ! Merde ! Ça fait mal !

— Chut... Ça va bien se passer. Mords le morceau de bois ! Défoule-toi dessus !

J'avais l'impression qu'on me jouait dans le bobo avec un couteau ! C'était atroce.

— Je dois tirer le fil.

— Ahhhh ! Ah ! ! ! !

Le fil a glissé rapidement et Cerf a repiqué.

— Aïe ! ! !

J'étais souffrant. J'allais m'en rappeler toute ma vie ! J'ai respiré un grand coup et l'aiguille m'a transpercé de nouveau. J'essayais de me retenir, mais des larmes coulaient de mes yeux. À travers elles, je voyais Cerf qui s'activait le plus rapidement possible.

— J'ai la moitié de fait... peut-être encore cinq ou six fois...

J'ai secoué la tête. Je n'étais pas certain de tenir bon.

— Arrête! Arrête! J'suis pas capable! Ça fait trop mal!

Cerf s'est retiré un peu, mais sa main ne m'a pas lâché le mollet.

— Ours, puise la force dans ton totem.

J'étais beaucoup trop affolé pour rester zen.

— C'est pas mon totem qui va souffrir à ma place!

J'ai éclaté en sanglots.

— Ça fait tellement mal!

Cerf a cherché mon regard.

— Respire. Respire.

Il a commencé à respirer profondément.

— Fais comme moi!

J'avais le choix entre l'écouter ou faire une syncope, alors, j'ai essayé son truc. De toute façon, je savais bien que je devais me faire recoudre... mais je manquais de courage. J'étais à sec!

— Tu vois, ça va mieux. Prends une autre grande inspiration. Ferme les yeux. Visualise ton totem, Ours. Prends ton temps et vois-le.

J'avais le goût d'essayer. N'importe quoi pour un peu de soulagement. Je voyais l'ours dans ma tête. Cerf a soupiré.

— Demande-lui de te donner son courage de guerrier. Le courage qu'il cache à l'intérieur de lui.

Je l'ai fait.

— Maintenant, Ours, concentre-toi et plonge dans ta douleur.

Je n'avais aucune envie de plonger, mais c'est ce que j'ai fait. Cerf a plongé lui aussi son aiguille. Ç'a été comme un choc électrique, mais j'ai tenu bon. Je tremblais de tous mes membres. Je visualisais mon totem et ça m'aidait... enfin, je voulais le croire.

J'ai eu l'impression que tout ça avait duré une éternité, mais le résultat était là : Cerf avait réussi à me recoudre.

— Tiens. Regarde, maintenant.

J'avais une suture très nette et quasiment digne de l'hôpital.

— Wow... je devrais avoir une belle cicatrice !

Cerf a acquiescé.

— Où as-tu appris à soigner les gens comme ça?

— C'est mon grand-père qui m'a tout appris. C'était un chaman guérisseur. Il n'est plus là maintenant, mais je le vois encore souvent dans mes rêves.

J'ai eu une pensée pour grand-maman.

— Tu crois qu'il y a une vie après la mort?

Cerf a ramassé son fil à coudre en souriant.

— Oui, je le crois fermement. Les âmes qui habitent nos corps mortels remontent rejoindre nos ancêtres et le Grand Esprit.

— J'espère que c'est ce qui va arriver à ma grand-mère.

Cerf a gardé le silence. Il a ouvert un autre petit pot et y a attrapé une bonne dose d'onguent avec ses doigts.

— Je dois mettre un peu d'achillée millefeuille sur ta plaie. Ça va l'aider à cicatriser.

La douleur était maintenant supportable. Par contre, j'avais hâte qu'il arrête de me toucher.

— Je vais bander le tout. Je regarderai ce soir comment ça va. Pour l'instant, tu t'installes près du feu. Je vais te donner un remède pour ta diarrhée et tes crampes intestinales.

— Merci…

Il s'est levé et m'a aidé à faire de même.
J'avais le mollet en feu.

— Ça va aller? Veux-tu que je te porte?

J'allais passer mon tour pour une autre
humiliation! Je n'allais tout de même pas
rentrer au campement dans les bras de Cerf!
Whoooo! Il y avait des limites à recevoir de
l'aide!

Un dîner de rêve

Après que tout le groupe eut mis le point
final aux tipis et qu'Emma eut terminé le travail que je n'avais pas réussi à faire, on est
passés à table, ou plutôt à la bûche de bois!

Emma m'a entouré de ses bras.

— Pauvre Ours… comment ça va?

— Mieux…

J'avais ma gamelle de spaghetti sur les
genoux. Une bombe aurait pu tomber, je
n'aurais pas bougé!

— Ça fait du bien de s'en mettre plein la
bouche!

Édouardo s'était levé et félicitait la cuisi-
nière.

— Merci, Faon charmeur, pour cette merveilleuse pitance !

Emma a rigolé.

— J'ai pas fait ça toute seule ! Faucon courageux m'a bien aidée !

— C'est pas grave !

Édouardo s'est rassis en se laissant tomber sur sa bûche.

— Aïe ! C'est dur pour le fessier, ça !

Tout le monde a éclaté de rire. Couguar aussi. Ça m'a surpris. Corneille l'a regardé du coin de l'œil. Cerf avait décidé de leur imposer la même chose qu'à Édouardo et à moi l'an dernier : il avait décidé de leur faire partager un tipi pour une semaine. J'avais des doutes sur ce que ça allait donner. Corneille s'est levé pour prendre un peu plus de sauce en questionnant Cerf.

— Qu'est-ce qu'on va faire, cet après-midi ?

Cerf a avalé une gorgée d'eau.

— Il y a une source d'énergie très importante, pas loin d'ici. La forêt regorge de toutes sortes de miracles que Faucon et moi aimerions vous faire découvrir.

Corneille a rigolé.

— Des miracles ? Je pensais qu'on venait juste d'en voir un ! Avec les cheveux roux en plus !

Il a pouffé de rire, mais le reste du groupe est resté de glace.

— Ben quoi ? Ours a toujours le don de se mettre dans le pétrin et, chaque fois, miracle !, il s'en sort ! C'est une blague ! Pourquoi personne ne rit ?

Emma s'est levée.

— Pourquoi tu niaises toujours les autres ? J'aurais bien voulu te voir te faire recoudre à froid ! La Corneille aurait trouvé ça moins drôle, j'suis certaine !

Il a grimacé.

— Faudrait voir !

Il s'est rassis et Emma m'a regardé du coin de l'œil en ajoutant :

— Je déteste ça quand il se moque des autres comme ça… Faudrait voir, mon œil !

Cerf a repris sa gourde en silence. Je le connaissais suffisamment pour savoir qu'il brûlait d'envie de donner une leçon de sagesse à Corneille, mais une des plus grandes qualités de Cerf était la patience. Il attendrait le moment propice.

— Finissez de manger, ensuite je vous dirai de quel miracle il s'agit.

La mine secrète

Après avoir bu mon remède de plantes dans lequel il y avait même une fleur de chardon, je me sentais beaucoup mieux. J'avais la tête qui tournait encore un peu, mais beaucoup moins que tout à l'heure. J'allais pouvoir accompagner le groupe. J'ai sorti mon petit cahier d'écriture et de dessin de mon sac à dos et j'ai attrapé un crayon. J'ai noté la date approximative et ce que je venais de vivre. J'allais compléter le tout à mon retour. J'avais un peu de temps devant moi et j'ai donc décidé de faire une esquisse du campement. Juste pour m'en souvenir.

— Qu'est-ce que tu fais?

Emma a déposé ses deux mains sales sur mes épaules.

— J'immortalise le moment!

Elle s'est assise à côté de moi.

— Tu as un talent fou en dessin. Ce que j'aimerais avoir ce trait de crayon!

J'étais rouge comme une tomate. Mes joues étaient en feu.

— Je ne sais pas pourquoi, mais tu as le don de me mettre à l'envers!

— Hum…

Elle m'a regardé droit dans les yeux et j'ai senti que je fondais littéralement.

— Je… je pourrais te dessiner autour du feu, ce soir, si tu veux.

Emma me fixait toujours avec la même intensité. Elle avait l'air d'une vraie fille des bois, les cheveux tout emmêlés et, je devais l'avouer, sales par-dessus le marché, le visage poussiéreux, les vêtements tachés de gomme de sapin. Quelques épines flottaient même dans sa belle chevelure châtaine. Elle avait attaché sa plume de hibou à une mèche de ses cheveux sur le devant. J'avais du mal à rester calme. Elle était toujours aussi belle, même dans le fin fond des bois.

— J'en serais ravie.

— D'accord.

— J'suis contente que ta jambe ne soit pas trop amochée.

— Moi aussi… Et c'est beau, ta plume !

— Ah !

Elle a porté sa main à ses cheveux.

— C'est Cerf qui m'a dit de la mettre comme ça.

— Il t'a dit pourquoi ?

Elle a acquiescé.

— Il m'a dit que l'esprit du hibou me protégeait, maintenant. Il va changer mon nom totem ce soir auprès du feu... c'est ce qu'il m'a dit.

— Pour vrai?

— Yep! Je suis nerveuse. C'est toujours impressionnant d'être le centre d'attraction, avec lui.

Je n'allais pas la contredire.

— J'ai hâte d'entendre ce qu'il va énoncer à ton propos!

Emma a renversé la tête en arrière en tapant dans ses mains.

— Et moi donc! Je crois que c'est la marque du début d'un changement pour moi!

J'ai arqué un sourcil.

— Tu veux dire?

— Ben... j'ai compris bien des choses depuis qu'on est partis... même si ça ne fait pas longtemps. On dirait que la douleur nous pousse à nous questionner. Je ne sais pas pourquoi.

Elle avait raison.

— Je le sais. Moi aussi, j'ai beaucoup réfléchi. Entre autres à grand-maman.

— Hum... ton mollet, ça va ?

— Ouais... mais maudit ! Plus jamais je vais jouer les téméraires avec une hachette dans les mains !

Elle a éclaté de rire.

— Écris-le dans ton cahier, c'est plus sûr !

J'étais d'accord avec elle.

— Je voudrais te dire merci... je trouve le tipi très beau.

— Arrête, Mady. J'ai fait ça avec Faucon. Elle en a fait plus que moi, alors...

— C'est pas grave. J'suis content ! Au moins, cette nuit, je ne dormirai pas entre les pattes de Bikbi.

La louve dormait encore près du feu de camp. Elle n'avait pas à chasser de tout l'avant-midi, moment rare pour une louve : elle en profitait.

J'ai cessé de dessiner. J'avais presque terminé.

— J'ai hâte de me laver... j'en peux plus ! Cerf nous trouve toujours de nouvelles choses à faire !

Emma a éclaté de rire.

— C'est vrai qu'on est loin de sentir la rose ! Si tu veux savoir pourquoi Cerf et Faucon n'ont pas insisté là-dessus, Faucon dit que ça éloigne les moustiques !

— C'est à la veille d'éloigner toute forme de vie, si tu veux mon avis !

J'allais rigoler moi aussi quand Cerf nous a demandé de nous rassembler près de la lisière de la forêt.

— Je voudrais vous emmener visiter un superbe filon de quartz. Comme la mine est située sur les terres du camp, nous avons le très grand privilège d'y avoir accès et surtout de pouvoir profiter de ses richesses.

Couguar a ajouté, nonchalant :

— Qu'est-ce qu'on peut ben faire avec des cailloux ?

— Ce ne sont pas de vulgaires cailloux, a répliqué Cerf en le fixant avec intensité. Ce sont des cadeaux de la Mère Terre.

Couguar lui a rendu son regard, incrédule.

— Tu verras, je saurai te faire voir leur potentiel, à ces cailloux, comme tu dis !

On est tous partis à sa suite. Plus on s'enfonçait dans les bois, plus les moustiques devenaient agressifs, et mon cœur battait dans mon mollet avec plus d'intensité à chaque pas. Je me suis appuyé sur l'épaule d'Édouardo.

— C'est dégueu, les mouches ! On dirait qu'elles essaient de rentrer sous mon bandage !

Édouardo m'a aidé à avancer en me soutenant par l'aisselle.

— Je ne pense pas que tu sois le seul qui en ait marre. Regarde-moi ça !

Les autres se battaient littéralement contre un ennemi imaginaire. Même Couguar, que d'habitude rien ne perturbait, était en train de devenir violent en battant l'air de ses mains.

— Ouais ! J'vais dire comme toi !

Emma a posé ses mains dans mon dos.

— Alors, ça va ? T'aurais peut-être dû rester au camp pour t'occuper du feu.

— Voyons, Faon ! Je n'aurais pas manqué ça ! Une mine ! J'ai l'impression qu'on va revivre le même genre de feeling qu'au cénote au Mexique !

Elle a hoché la tête.

— Peut-être… je ne sais pas… tout est différent avec Cerf. C'est vraiment incroyable d'être ici… les mouches noires en moins, par exemple !

Édouardo a acquiescé en rigolant.

— Ouais, t'as raison ! Ça doit être la touffe rousse d'Ours qui les attire autant ! Je devrais te laisser marcher tout seul !

— Hey ! Vous n'êtes pas cool !

Josée s'est approchée en riant.

— Je vois qu'on s'amuse, ici !

Emma s'est accrochée à un tronc d'arbre pour ne pas tomber. Cerf avançait rapidement et c'était pénible de le suivre.

— Comme d'habitude, Libellule, ton chum dit des niaiseries !

Cerf s'est arrêté devant une fissure dans le roc de la hauteur d'un homme. En fait, une bonne dépression dans la pierre avait totalement changé le paysage. Recouverte de mousse, la petite grotte avait des veines de toutes sortes de types de roches, mais tout près de la brèche centrale, on pouvait voir une belle ligne de blanc pur. Sans aucun doute le quartz en question.

Cerf s'est retourné et ses cheveux qui sortaient de son lacet semblaient voler au vent devant la bouche de la grotte. Drôle d'impression.

— Je vous demanderais d'allumer vos torches dès qu'on aura pénétré à l'intérieur. Je vous dirai quand les éteindre.

Cheval fougueux s'est exclamé :

— Éteindre ? C'est que j'suis un peu claustrophobe ! Pas moyen de les garder allumées ?

Cerf l'a fixé.

— Non. J'aimerais que vous puissiez ressentir l'énergie de ces pierres liées à la guérison. Selon moi, une bonne intériorisation s'impose. Plusieurs d'entre vous ont senti le besoin de faire ce camp. Vous savez qu'il faudra vous dépasser encore durant les jours et les semaines qui viennent. Alors, voilà : je vous offre un moment avec vous-même, ici, dans l'énergie des pierres de quartz.

Couguar a soupiré bruyamment.

— Qu'est-ce que je peux en avoir à foutre de faire connaissance avec des pierres à la noirceur ! Ce n'est pas vraiment mon truc, les rencontres du troisième type à l'aveuglette !

Cerf a hoché la tête.

— Il y a longtemps, mon père et avant lui son père et son grand-père ont puisé sagesse et ressourcement en présence des pierres de cristal. Ou tu ouvres ton cœur à ce qu'on t'offre, ou tu demeures dans ton état de fermeture. Tu as le choix. Car on a tous le choix !

Cerf nous a fixés droit dans les yeux tour à tour.

— Allumez vos torches et entrons, maintenant !

J'étais impressionné et fier d'être là. Je n'avais qu'une chose en tête, explorer le moindre recoin de cet endroit. À l'intérieur, à la lueur de la torche, les morceaux de cristal et les quartz blancs se détachaient des parois. C'était plus chaud que je l'aurais cru. Emma s'est approchée pour souffler à mon oreille.

— C'est absolument magnifique !

J'étais d'accord. C'était quasi irréel de se retrouver là, comme ça, à travers le temps et les rochers. J'aurais aimé que les roches puissent me parler.

Cerf s'est arrêté et Faucon et lui se sont assis par terre. L'endroit était rond et il semblait avoir été sculpté dans la pierre à cet effet. Il nous a indiqué de nous asseoir nous aussi et il a pris la parole.

— J'espère que vous avez pris le temps de regarder ce qui vous entoure. Sachez que la Terre nous donne tout ce dont on a besoin.

Apprenez à la vénérer et à la protéger. Le cristal renferme les connaissances de tout ce qui a vécu avant nous. Comme une empreinte dans la pierre qui s'offre à nos yeux. Comme une empreinte digitale. J'ai toujours cru que nous étions comme un cristal, nous aussi. Chaque morceau de cristal est différent. Si l'on regarde le cristal à la lumière du feu, il est teinté de veines et de formes géométriques qui le rendent unique. Comme un ADN, comme une cellule humaine. Comme notre propre corps et notre propre unicité. Ne croyez-vous pas que cela puisse être possible ?

J'étais d'accord.

— C'est pourquoi j'ai toujours cherché à comparer les êtres humains au cristal. Étudier la brillance et la forme de chacun d'entre nous. Ces formes peuvent nous apparaître étranges, parfois, mais combien magnifique est la diversité, si l'on s'y attarde. Vous voyez tout ce qui nous entoure ? Maintenant, fermez vos torches.

C'est ce que j'ai fait. Le silence et la noirceur opaque m'ont entouré. Je sentais la présence des autres, mais je ne les distinguais plus.

— Vous voyez maintenant avec l'intérieur de votre être. Il n'y a plus personne à l'extérieur. Vous ne distinguez aucune enveloppe corporelle ni aucun stimulus extérieur. Respirez. Que sentez-vous ?

Le silence régnait. J'étais très impressionné, et je me demandais où Cerf voulait en venir.

— Sentez-vous votre corps sur la roche ? Les os de vos hanches qui touchent à l'humidité de la roche sous votre poids ? C'est un contact que peu d'entre vous ont appris à ressentir encore. Sentez l'énergie tout autour. Fermez les yeux. Respirez profondément. Voyez la lumière rouge de la Terre. Celle qui pénètre dans tout votre corps pour vous aider à mieux vivre. Pour vous calmer, vous guérir. Respirez. Le cristal que vous êtes a besoin de pouvoir revenir à sa source. Revenir à son point de départ. Le pouvoir créateur de chaque être humain se situe dans ce savoir ancestral du repos. Le repos du corps dans celui de la Terre. La Terre nous offre son corps comme lit et comme couverture, et nous devons prendre le temps de revenir vers elle. Respirez. Entendez-vous votre cœur ? Le sentez-vous battre dans votre poitrine ? Imaginez que cette pulsation est la même pulsation que la lave qui coule au centre de la Terre… En son noyau, vous n'êtes qu'un avec elle. Vous puisez à même cette couleur rouge, cette chaleur rouge, cette pierre en fusion… le pouvoir libérateur. Celui qui vous libérera de tous vos problèmes et de tous vos soucis. Comme une rivière qui nettoie. Sentez l'énergie de la Terre sous vos hanches. Aimez-vous ? Aimez la Terre et soyez bien dans ses bras. Chaque chose à sa place, et chaque être aussi. Dans le temps comme dans le reste.

Il a marqué une pause. Tout ce qu'il disait venait me toucher droit au cœur. J'avais du mal à retenir mes larmes. Je ne savais pas pourquoi. Je me sentais tout chamboulé à l'intérieur. On aurait dit qu'un robinet venait de s'ouvrir et que j'avais du mal à contenir ce qui voulait en sortir. J'avais peur que Cerf s'arrête et nous demande d'ouvrir de nouveau nos torches.

— Vous aurez la chance de recevoir chacun un morceau de pierre, un cadeau de la Terre, tiré de cet endroit mythique. Ce cristal représentera votre passage en ces lieux. Votre travail à vous, votre paiement pour ce cadeau, si on peut le dire ainsi, sera de retourner à la Terre à certains moments de votre vie. C'est une marque d'amour que la Terre nous fait. On m'a appris jeune à vivre en paix dans le moment présent, en connexion avec la Terre. Avec ce cristal, j'espère que vous pourrez vous rappeler ce moment et le revivre n'importe où.

Cerf a allumé sa torche.

— Vous pouvez utiliser votre torche à nouveau, mais cette fois-ci, regardez avec les yeux de votre être intérieur. Les yeux du cœur.

La lumière m'a ébloui. J'étais plus que gêné, car j'avais encore les yeux tout mouillés. Surprise! Je n'étais pas le seul. Couguar aussi avait le même souci que moi. Il s'est dépêché de s'essuyer.

Cerf s'est levé.

— Je vous invite à choisir un cristal, une pierre... ce qui vous parle. Mais n'oubliez pas que vous devrez la transporter jusqu'à la fin du camp!

Emma m'a sauté au cou.

— C'est merveilleux! Regarde-moi ça!

Elle venait de trouver le quartz de ses rêves. Il avait la forme d'une baguette et sortait de la roche comme une petite fleur.

— Wow! C'est cool! Y est vraiment hot!
Bon choix!

Elle était surexcitée.

— Je l'ai vu tout de suite! Ouep! C'est mon
number one!

Elle s'est dirigée vers Cerf pour qu'il vienne
approuver son choix. Quant à moi, je cher-
chais toujours mon morceau de quartz.

— Je continue de faire le tour…

Tout le monde s'était concentré au début
de la grotte. J'ai donc décidé d'aller plus au
fond. Une lueur a attiré mon attention et je
me suis rendu compte qu'une très grosse sta-
lactite s'était formée au fil du temps. J'ai fait
le tour de cette masse étrange et difforme. Je
l'ai éclairée avec ma lampe torche et personne
n'aurait pu me faire regarder ailleurs. J'étais
émerveillé. La pointe était très effilée et je
dirais même qu'elle aurait pu être dangereuse
si elle était tombée. Toutefois, elle semblait
bien agrippée au plafond. Tout au bout de la
pointe, mes yeux se sont posés sur une roche
qui ressortait du sol raboteux où je me tenais.

Je me suis penché en faisant attention à
mon mollet. Une pierre grise se détachait du
lot. Elle avait quelque chose d'inexplicable

pour moi... un cœur... Un cristal en sortait et il avait véritablement la forme d'un cœur!

J'ai posé ma main sur la roche et j'ai senti un courant électrique. Elle était pour moi. Je devais la rapporter et la donner à grand-maman. Elle devait recevoir cette pierre. Au même moment, j'ai vu les mocassins de Cerf. J'ai levé les yeux vers lui.

— Tu as trouvé, à ce que je vois?

J'ai acquiescé. Je n'étais pas capable de parler. C'était l'expérience la plus spirituelle que j'avais jamais vécue. J'avais l'impression de toujours dire ça, mais chaque fois, c'était de plus en plus fort!

— Je... je... voudrais celle-là.

Cerf a sorti son couteau et, avec un petit marteau, l'a dégagée pour moi.

— Tiens. C'est un magnifique symbole.

J'ai hoché la tête.

— Merci... Merci, Cerf. Je n'oublierai jamais ce que tu as dit.

— Je le sais.

L'initiation d'Emma

Nous étions tous assis autour du feu de camp. Le paysage était splendide. Le soleil se couchait avec des couleurs rose fuchsia et orange feu. C'était magique. J'ai serré la main d'Emma très fort. Mon cœur débordait d'amour. J'aurai aimé pouvoir l'embrasser et lui parler de tout ce que je ressentais. C'était très intense à plusieurs niveaux et je savais que pour elle c'était pareil.

Je savais qu'elle était nerveuse, car ce soir Cerf allait lui parler devant nous tous de son nouveau totem du hibou. J'étais content pour elle ! Enfin, je ne serais pas le centre d'intérêt !

Ce soir-là, on n'avait pas mangé beaucoup. Que quelques légumes qui n'avaient pas été utilisés avec la sauce et du poisson que Faucon nous avait pêché. Cerf s'est approché du cercle autour du feu. Il avait sa belle veste de daim. Ça m'a fait poser les yeux sur mes propres mocassins. Ils étaient sales et je me suis dit qu'il faudrait que j'y voie le lendemain. Mon mollet me faisait encore un peu mal, mais la mixture de plantes que Cerf avait mise dessus avait vraiment diminué la douleur. C'était surprenant que des plantes de la forêt puissent être aussi efficaces !

Emma a toussé et son regard s'est aussi porté à ses pieds. Par contre, j'aurais juré que ce n'était pas pour regarder l'état de ses mocassins. Elle a déposé sa main doucement sur la plume de hibou attachée à ses cheveux.

Cerf est resté debout les bras le long du corps, regardant le feu. Son visage semblait prendre les teintes de ses ancêtres. Il avait l'air plus imposant encore.

— J'suis nerveuse…

Emma tremblait légèrement dans la brise du soir.

— Pourquoi ?

Elle a secoué la tête.

— Je ne sais pas… c'est juste que… c'est à moi que ça arrive… je veux dire, c'est la première fois que Cerf s'adresse à moi seule de cette façon.

J'étais content pour elle.

— Tu vas voir… c'est super.

Elle a acquiescé et, au même moment, Cerf s'est mis à chanter dans sa langue amérindienne. C'était magnifique. Ça ressemblait à une chanson d'amour. J'aurais aimé que ce soit moi qui puisse la chanter. Encore fallait-il avoir la voix pour le faire ! Ce n'était pas mon cas. Je chantais moins bien qu'un crapaud, alors… Toutefois, j'avais un crayon ! J'ai décidé d'écrire toute cette histoire et de faire une illustration pour immortaliser le tout. J'ai sorti le matériel de mon sac et je me suis mis au travail en prêtant attention à ce qui se passait.

Cerf a chanté pendant un moment. Le soleil s'est finalement caché pour de bon et le feu de camp a pris le dessus.

— A HO ! Ce soir est un soir différent des autres soirs. C'est la rencontre de Faon charmeur avec le totem du hibou. Le hibou est venu la visiter et lui a fait cadeau de la plume de la vérité. La plume que tu portes à ta chevelure te dira tout ce que tu ne peux voir et tout ce que tu ne peux entendre, puisque la force du hibou et son pouvoir sont à l'intérieur !

Emma a baissé les yeux.

— Lève-toi, Faon charmeur, pour honorer le Grand Esprit qui t'a fait cadeau de cette rencontre sacrée!

Emma s'est levée en regardant droit devant elle. Je ne l'avais jamais vue aussi sérieuse.

— Je te désigne maintenant comme la porteuse de magie. La porteuse de vérité. Il te faudra prendre le temps de te recueillir dans la pénombre, là où le hibou prend vie, là où il chasse et voit. Tu devras lui demander de te donner ses yeux en méditation et là, là seulement, tu verras ce que tes yeux physiques pourraient ne pas te laisser voir. La vérité se montrera sous son plus beau jour et personne ne pourra plus rien te cacher. La vérité sera ta voie et celle de tes amis les plus chers. Le hibou force son hôte à devenir vrai et il apporte à celui qui l'invoque la vérité sous toutes ses formes. Faon, voici ton nouveau totem: Hibou sage!

Il s'est approché et a pris les mains d'Emma, devant les yeux étonnés de tout le monde.

— Ferme les yeux, Hibou sage, et écoute.

Au même moment, dans la forêt, on a entendu un hibou hululer. Les poils de mes bras se sont dressés. Édouardo a frissonné. C'était inexplicable. J'ai continué de dessiner. Bikbi en a profité pour hurler à la lune, ce qui n'a pas manqué d'ajouter de l'intensité au moment.

Cerf a recommencé à chanter en tenant toujours les mains d'Emma. J'ai levé les yeux au ciel et j'ai eu l'impression que des milliers d'étoiles nous regardaient. Je pouvais voir la lune qui était pleine et la lueur qui l'entourait. Je me suis dépêché de retourner la page sur laquelle je faisais courir mon crayon et j'ai dessiné le visage d'Emma sur un côté et la lune de l'autre, sans oublier la plume de hibou, juste en dessous.

Le silence est revenu et le seul bruit qu'on entendait était le crépitement du feu dans la nuit. Cerf a fouillé dans sa besace et en a sorti un collier de perles rouges au bout duquel une minuscule pochette de cuir beige pendait. C'était très féminin.

— Hibou sage, je te remets cette amulette. Elle t'aidera à te rappeler, où que tu sois, ce que tu peux accomplir, ce que tu es vraiment et ce que la vie peut te donner. Sois certaine qu'elle te protégera, car, en elle, l'esprit de la vérité se cache. Sois honorée de ce présent et sois toujours fière de la porter. Cette amulette est le symbole de ta foi en toi, en ta force intérieure et en ta propre vérité !

Emma s'est penchée pour que Cerf passe le collier à son cou. Les perles brillaient à la lueur du feu, et les yeux d'Emma aussi.

— Merci, Cerf.

— Remercie le totem du hibou qui t'a choisie. A HO !

Emma a acquiescé et a profité du feu un instant, les mains tendues au-dessus des flammes et les yeux clos. C'était son moment. Je dessinais le plus rapidement que me le permettait mon crayon. J'avais presque terminé quand elle s'est rassise auprès de moi.

— Félicitations, Hibou sage…

Emma a souri timidement.

— Ton amulette est magnifique.

Ses doigts étaient déjà entortillés autour des perles rouge sang.

— C'est vraiment spécial… je ne pensais jamais vivre une telle expérience de toute ma vie ! J'ai eu un gros frisson quand il a chanté… c'était émouvant et prenant.

— J'te comprends !

Elle s'est exclamée :

— Mais qu'est-ce que c'est que ça ?

— Chut !

Je ne voulais pas que tout le monde vienne voir ce que j'avais fait. Je voulais qu'on puisse regarder ça tous les deux.

— Je vais te le montrer tout à l'heure dans le tipi...

J'ai fermé mon cahier à dessin. Elle m'a regardé d'un air suppliant.

— Allez, montre-moi !

Je n'avais pas trop le choix.

— Regarde... ici, c'est toi avec Cerf... et ici, c'est la chanson qu'il t'a chantée.

Emma s'est mise à pleurer.

— C'est presque trop d'émotion dans la même soirée !

— Qu'est-ce que tu veux dire ?

Elle s'est essuyé les yeux du revers de la main.

— J'ai du mal à croire que tu te sois donné autant de mal pour moi...

Elle a caressé le papier de ses mains noircies par la saleté.

— Je suis vraiment touchée. Je...

J'étais heureux. Elle était contente et c'est tout ce qui comptait pour moi.

— Je te les donne… ces dessins sont pour toi. Si tu veux, quand on va revenir à Montréal, je vais faire comme à mon retour du Mexique. Je te préparerai un beau cahier et je raconterai notre camp nomade à l'intérieur avec des dessins. Ce sera plus long qu'avec des photos, mais ça va avoir un certain charme ! Ne t'en fais pas ! Je vais traîner mon cahier jusqu'à la fin du camp… de toute façon, j'ai encore plein de choses à écrire et à dessiner !

— À qui le dis-tu !

— À toi…

Ça aurait été le moment que j'aurais choisi pour l'embrasser si j'avais pu, mais j'allais me contenter de la regarder dans les yeux.

— Je t'aime, Emma…

Elle a déposé sa main sur la mienne.

— Je t'aime aussi.

Les tipis

Je n'étais pas trop certain du résultat de l'association Corneille et Couguar dans le même tipi pour la nuit. L'ouverture à l'avant était plus large que d'habitude et on n'était ni cachés ni isolés... sinon, Cerf ne nous aurait pas permis à Emma et moi de partager le même. Sauf qu'il fallait quand même se coucher côte à côte et Couguar n'avait pas l'air du genre colleux.

Cependant, j'avais espoir que ça tourne rond, parce qu'ils étaient installés tout juste à côté du nôtre et c'était tranquille pour le moment.

Tout le monde avait regagné son tipi et Cerf et Faucon se parlaient encore près du feu. Je les ai observés un moment et ce que j'attendais depuis longtemps s'est passé. Cerf a pris la main de Faucon dans la sienne et l'a caressée avec son pouce. Ils étaient donc un couple. J'en étais certain !

— Psitt ! Hibou ?

Emma essayait de vérifier avec sa torche qu'aucune araignée ne se trouvait dans son sac de couchage, et surtout dans le mien :

j'avais une sainte horreur de ces machins à pattes poilues!

— Quoi?

Je l'ai attirée vers moi en tirant son bras.

— Chut! Regarde!

— Oh...

Elle a pouffé de rire.

— Il lui tient la main...

— Oui... Et t'as vu comment il l'a regardée?

— Oui... Ils sont plus que des amis, c'est certain.

Emma a fermé sa torche.

— Viens, on va se coucher.

J'étais content de savoir que Cerf et Faucon formaient un couple. Pour moi, ça allait de soi!

Je me suis allongé dans mon sac de couchage et j'ai senti Emma s'appuyer sur mon bras. Il faisait très noir.

— J'suis content d'être ici...

— Ouais... moi aussi... j'espère que mon père va bien.

— Voyons... j'suis certain! De toute façon, ma mère n'est pas loin!

On chuchotait pour ne déranger personne.

— Je pense que ta mère doit en avoir plein les bras avec ta grand-mère.

— Oui… c'est vrai…

— Tu y penses souvent ?

— À ma mère ?

— Ben non ! À Thérèse !

— Ah ! Oui… c'est certain, mais je ne peux pas faire grand-chose… sinon espérer la revoir à mon retour à Montréal.

— Hum… J'espère qu'elle sera là, moi aussi… sinon, elle va me manquer.

— Je sais.

J'avais envie de prendre sa main. J'ai jeté au même moment un coup d'œil aux alentours, car tout rapprochement était strictement interdit. C'était le calme plat. Même dans le tipi de Corneille et Couguar, à ma grande surprise. J'ai regardé vers le feu de camp.

— Emma, regarde !

Cerf s'est tendrement penché vers Faucon pour prendre son visage entre ses mains et l'embrasser doucement, langoureusement. Il l'a rapprochée de lui d'un geste rapide et l'a serrée dans ses bras.

— Wow… ce qu'ils sont beaux comme ça à la lueur du feu !

— Chut ! Ils vont nous entendre !

— Mais non, je ne parle pas assez fort. De toute façon, ils sont beaucoup trop occupés !

J'ai rigolé et Emma s'est rapprochée de moi. J'ai senti mes joues s'empourprer même si on était complètement dans le noir.

— J'ai envie d'un baiser moi aussi...

Je me suis penché vers son visage en faisant attention de ne pas lui accrocher le nez. Il faisait noir comme chez le loup... c'était le cas de le dire.

Je l'ai embrassée doucement. Je sentais son souffle chaud sur ma bouche et des effluves de cannelle de son baume à lèvres m'ont chatouillé les narines.

— Ce que j'aime t'embrasser.

— Moi aussi... tu goûtes la cannelle.

J'ai passé une main dans ses cheveux.

— Serre-moi dans tes bras...

J'étais d'accord. J'ai ouvert mon sac de couchage et elle aussi.

— Viens.

Elle s'est collée tout contre moi et je l'ai entourée de mes bras. Elle a appuyé sa tête sur mon cœur et c'était incroyable ! Je sentais son corps sur le mien et je devais avouer que ça me donnait le tournis. On est restés comme ça, sans bouger, quelques minutes. C'était le moment le plus sensuel de toute ma vie !

— J'ai peur qu'on se fasse prendre...

Emma a soupiré.

— Ben non, Mady... ferme les yeux.

Je l'ai écoutée et je devais avouer que je ne m'étais jamais senti aussi bien et... c'était intense... mon cœur battait à se rompre et un flot de sentiments m'envahissait. J'étais amoureux et mon corps s'éveillait à tout ça.

— Je...

— Chut...

Emma m'embrassait dans le cou. C'était plus que je pouvais supporter. J'étais enivré.

— Emma... Je crois qu'on devrait dormir... tu sais, demain... la journée sera longue.

Elle a soupiré profondément et s'est retournée sur le ventre pour regarder près du feu. Cerf et Faucon s'embrassaient longuement.

— Ils croient qu'on dort !

— Sûrement !

— Mais on ne dort pas !

— Non !

J'ai eu un petit fou rire et ma main s'est dirigée sur son dos. Elle a sursauté.

— Tu veux que je l'enlève ?

— Non.

J'y ai promené mes doigts. Elle a fermé les yeux en soupirant d'aise.

— Ça fait du bien.

Je sentais sa peau sous son t-shirt de nuit. Je l'ai soulevé et j'y ai glissé la main. Elle a frissonné.

— Tu veux que j'arrête ?

— Non…

J'ai déplacé doucement ma main jusqu'à ses omoplates. Son dos dégageait une telle chaleur ! C'est à peine si son corps se soulevait lorsqu'elle prenait une inspiration. C'était enivrant et tellement nouveau comme sensation de sentir la peau de son dos sous mes doigts… sous mes mains. C'était la première fois que je la touchais de cette façon-là. Mon index a effleuré le creux de ses reins et elle a frissonné de nouveau.

— Mady…

— Quoi ?

Elle s'est retournée et m'a enlacé de telle sorte que je me suis retrouvé sur elle.

— Je t'aime.

Elle m'a embrassé intensément. Je n'avais encore jamais ressenti une telle sensation. Elle s'est enfin arrêtée pour me regarder dans les yeux, à deux pouces de mon nez.

— Bonne nuit.

— Euh... bonne nuit...

J'ai passé mon index sur sa lèvre inférieure et je me suis retourné vers mon sac de couchage. Je m'y suis faufilé et elle a fait la même chose de son côté. Mon cœur battait la chamade. J'étais tout en sueur et je ne savais plus où fixer ma pensée. J'étais très amoureux. Tout ce qui m'arrivait était nouveau... intact et pur. Je n'allais pas pouvoir dormir !

Je me suis tourné vers le feu de camp. Cerf et Faucon avaient disparu. J'ai fermé les yeux et j'ai essayé de trouver le sommeil. Les maringouins me tournaient autour et j'avais vraiment de la difficulté. Chaque fois que je fermais les yeux, le visage d'Emma venait remplir le trou noir dans ma tête. Il fallait que je fasse le vide.

J'ai dû m'endormir sans m'en rendre compte parce que le bruit qui m'a réveillé m'a quasiment fait faire une crise cardiaque !

— Pauvre con ! Va te faire voir !

Emma s'est retournée, complètement déboussolée.

— Qu'est-ce qui se passe, encore ?

Je me suis jeté sur ma lampe torche.

— Je ne sais pas... mais je pense que ça vient du tipi de Couguar et de Corneille !

— Ahhhh !

Emma s'est retournée et a rabattu le dessus de son sac de couchage sur sa tête.

— J'veux rien savoir ! Qu'y s'arrangent, ces deux-là !

J'ai secoué la tête. Je ne savais pas trop quelle heure il pouvait bien être... la nuit m'avait l'air pas mal avancée. J'avais dû dormir longtemps.

— J'y vais... De toute façon, Cerf va bien finir par venir voir ce qui se passe !

Je me suis levé à contrecœur pour aller évaluer la situation. J'ai trouvé Couguar et Corneille à l'extérieur de leur tipi, les poings levés, prêts à se battre.

— Whoooo! Qu'est-ce qui se passe ici?

J'ai éclairé le visage de Corneille avec ma lampe torche et Couguar en a profité pour lui sauter dessus. Je n'avais pas fait exprès, mais Corneille allait m'en vouloir.

— Arrêtez!

Comme je criais, Couguar a flanqué un super crochet de la droite sur la mâchoire de Corneille. Y avait pas à dire, ce n'était pas la première fois qu'il se battait, celui-là!

— Tu vas arrêter de me gonfler! T'es stupide! J'te jure que tu vas le regretter!

Corneille saignait de la bouche et se prenait pour un boxeur expérimenté en jouant des poings devant ses yeux.

— Allez, pauvre type! Tu débloques! Ce que j'ai fait était tout naturel!

Couguar s'est jeté sur lui tête baissée. J'ai juste eu le temps de me retourner pour découvrir Édouardo qui lui aussi avait été alerté par les cris.

— Qu'est-ce qui se passe ici, mon vieux?

Je n'ai pas eu besoin de lui répondre. La vue des deux gars qui roulaient par terre en essayant de se mettre un poing dans la figure disait tout.

— Va chercher Cerf! Tout de suite!

— Ok!

Édouardo est parti à la course avec sa lampe torche en manquant de trébucher sur une grosse pierre.

— Aïe!

J'ai éclaté de rire.

— C'est pas drôle!

Mon attention est revenue à Couguar qui venait tout juste d'atteindre son but. Un coup de tête sur le nez de Corneille. Ce dernier saignait à grosses gouttes, la tête penchée par en avant. J'étais découragé… J'aurais bien voulu les faire arrêter, mais avec mon mollet recousu, je faisais mieux de rester en dehors de ça!

— Merde, mon nez!

— Tu l'as bien cherché, pauvre con!

Corneille a relevé la tête et, l'instant d'une seconde, à la lueur de ma torche, j'ai vu la fureur qui s'installait en lui. Il a foncé comme un taureau. Malheureusement pour lui, Couguar avait l'expérience du guerrier. Il s'est tassé et Corneille s'est cogné la tête sur la grosse pierre qui avait failli faire tomber Édouardo quelques secondes plutôt. Il est tombé, inerte.

— Attention !

Couguar s'est secoué les mains en reniflant.

— Enfin débarrassé !

J'étais hors de moi ! Comment est-ce qu'il pouvait se réjouir de ça ?

— T'es vraiment fou ou quoi ?

Il a secoué la tête de côté et s'est retourné dos à moi. Je me suis jeté sur Corneille.

— Corneille ! C'est moi ! Corneille ?

Il était inconscient.

— Emma !

Elle est arrivée en courant.

— J'ai entendu ! Qu'est-ce qui se passe ici ?

Elle a jeté un œil autour de moi… il faisait noir comme dans une caverne. Elle a enfin vu Corneille qui gisait à mes pieds.

— Qui lui a fait ça ?

Couguar s'est moqué.

— Il s'est fait ça tout seul ! C'est qu'une mauviette ! Il ne sait pas se battre !

C'est à ce moment que Cerf est arrivé. Il s'est jeté à genoux et a fouillé dans sa besace pour en retirer un petit flacon. Il a enlevé le bouchon de liège qui le scellait et a fait sentir le contenu de la fiole à Corneille. Ce dernier a commencé à se trémousser. Il reprenait conscience.

— Ah… J'ai… mal…

Cerf observait les yeux de Corneille avec la torche et pensait tout haut.

— La pupille n'est pas dilatée… Aucun signe d'hémorragie interne à la tête…

Il a retourné Corneille délicatement avec mon aide et a regardé derrière sa tête.

— L'entaille n'est pas profonde… il a dû se retenir en tombant.

J'ai acquiescé. Il a éclairé son visage.

— Malheureusement, on ne peut pas en dire autant de son nez…

J'avais mal pour lui.

— Corneille, tu peux te relever un peu ?

Cerf l'a tiré vers lui.

Il a hoché la tête faiblement.

— J'pense que oui…

Cerf a touché son nez.

— On dirait bien qu'il est cassé.

Corneille a jeté un œil meurtrier dans la direction de Couguar qui, lui, se tenait à l'écart, le sourire en coin. Il était vraiment bizarre.

— Je vais devoir le remettre droit. Ça va faire un peu mal.

Cerf m'a fait signe de m'approcher.

— Tiens-lui les épaules pour qu'il ne bouge pas !

Cerf a pris l'arête du nez de Corneille entre ses doigts et, d'un petit coup sec, lui a replacé le tout.

— Aïe ! Merde !

Édouardo s'est penché pour s'informer.

— J'peux retourner me coucher ? Ce n'est pas eux autres qui vont faire la journée de demain à ma place ! J'ai assez perdu mon temps !

Il avait raison, mais… même si je retournais dans mon sac de couchage, je n'étais pas certain de pouvoir me rendormir, après tout ce vacarme. J'ai regardé en direction de mon tipi, découragé. Emma a soupiré très fort.

— Moi aussi, je retourne me coucher.

J'ai acquiescé.

— Je vais rester un peu.

Cerf a envoyé Édouardo chercher de l'eau.

— Tu pourras retourner dormir ensuite.

Corneille était assis auprès du feu et se balançait la tête d'avant en arrière. Cerf lui a préparé une tisane pour calmer la douleur.

— Tiens, mon frère, bois ça. Tu ne dois pas dormir. Je dois vérifier si tu as une commotion cérébrale. On ne sait jamais.

Corneille a agrippé la tasse de métal.

— Qu'est-ce que c'est?

— De la tisane d'écorce de saule. Ça va t'aider.

Corneille a bu une gorgée.

— C'est un remède amérindien?

— Si on veut. L'écorce du saule contient une substance qui s'appelle salicine. C'est un peu la même chose qu'une aspirine.

Corneille a hoché la tête. J'ai déposé mon cahier à dessin sur mes genoux. S'il fallait rester éveillé pour tenir compagnie, autant faire quelque chose de ces heures. J'ai questionné Cerf.

— Combien de temps faut-il rester debout?

Il a soupiré.

— Le soleil ne va pas tarder à se lever. Je dirais que notre nuit est terminée. Je crois qu'après avoir eu un choc violent à la tête, c'est mieux de rester éveillé. Corneille, je dois vérifier tes pupilles. Montre-moi.

Corneille s'est montré docile.

— Bien. Il n'y a toujours rien d'anormal.

Cerf a attisé le feu qui s'était éteint. Il a rajouté une bûche et quelques branchages. La flamme a tout de suite jailli.

— Qu'est-ce qui s'est passé, Corneille ?

Son nez enflait à vue d'œil et Cerf s'est mis à préparer une espèce de cataplasme avec des plantes que je ne connaissais pas.

— Vous voulez vraiment le savoir ? Ce type est malade !

Cerf a eu l'air découragé.

— Ce n'est pas ma question.

Corneille a secoué la tête en réprimant un frisson. C'était plutôt frisquet… surtout quand on manquait de sommeil.

— J'ai pété.

Je n'étais pas certain d'avoir bien entendu.

— Tu as quoi ?

— J'ai lâché un pet, maudit ! Et Couguar m'a entendu et m'a frappé ! Ce n'est pas ma faute si je digère mal le spaghetti !

Cerf a éclaté de rire et moi aussi. Je n'en revenais pas !

— C'est vraiment la plus folle excuse que j'aie jamais entendue, et pourtant, j'ai vraiment beaucoup d'expérience !

Corneille s'est exclamé :

— Le pire… c'est que c'est la vérité !

Au petit matin

Le moment était venu pour chacun de faire sa toilette dans la petite chute et le bassin dans la forêt. Ensuite, on nous avait promis une belle expédition en canot. Il ne restait plus qu'Emma et moi à nous décrasser. Tout le monde y était passé.

— Ciao !

Emma s'est faufilée avec sa petite serviette, ses nouveaux habits et son savon entre les arbres de la forêt. Faucon avait attaché des petits bouts de tissu à quelques branches d'arbres, alors pas de risque de se perdre dans les bois !

Pendant ce temps-là, les autres avaient pêché de la truite dans la rivière et Cerf nous avait apporté des champignons sauvages et quelques framboises pour le petit déjeuner. J'ai fermé les yeux un instant et j'ai humé le parfum de la forêt. C'était super ! Le soleil brillait de mille feux et j'avais hâte de faire du canot ! Je ne savais pas qui serait mon partenaire, mais ça m'importait peu. J'avais le goût de partir à l'aventure !

— Ours !

Cerf m'appelait près du feu.

— Je vais changer ton bandage !

J'ai regardé mon mollet.

— Ah ! Oui, c'est vrai.

Il s'est penché et a enlevé le vieux pansement en me faisant grincer un peu des dents. Le sang avait collé sur le tissu, juste au-dessus de la suture.

— Ça va ?

— Oui...

— Je vais désinfecter la plaie, maintenant. Tu guéris bien.

— Hum...

Je n'étais pas trop bavard, car la vue du sang me déplaisait.

— Ours, je vais te donner une mission, aujourd'hui.

Je l'ai regardé, surpris.

— Une mission ?

— Oui. Je voudrais que tu partages le canot de Couguar et que tu lui parles. J'aimerais que tu lui racontes ce que tu as vécu avec tes parents, avec Édouardo.

J'ai soupiré.

— Pourquoi?

Cerf m'a souri en attachant mon bandage.

— Parce que tu as la force de lui faire comprendre certaines choses. Je sais que tu le peux. Il souffre et c'est dans la violence qu'il canalise sa souffrance.

Je ne comprenais pas.

— Mais pourquoi moi? Pourquoi pas Lapin?

J'aurais cru qu'Édouardo aurait été meilleur que moi.

— Parce que tu as le cœur ouvert aux autres. Parce que je te fais confiance et que je t'ai choisi pour cette mission.

J'ai secoué la tête.

— Effectivement, c'est toute une mission! J'espère que ce n'est pas moi qui vais passer la nuit prochaine à boire de la tisane à l'écorce de saule!

Il a rigolé.

— Je ne crois pas. Alors?

Je n'avais pas vraiment le choix. De toute façon, je soupçonnais que personne ne voudrait faire du canot avec lui après ce qui s'était passé cette nuit.

— D'accord.

Quand j'ai acquiescé, Bikbi m'a léché la main.

— Ah!

Cerf a éclaté de rire.

— On dirait qu'elle est fière de toi elle aussi!

— Ouais! On dirait... ça fait drôle de se faire lécher la main par un loup!

— C'est la meilleure amie que j'aie jamais eue.

— Elle a l'air très fidèle, en effet.

Cerf m'a souri et je me suis levé. J'ai décidé d'aller chercher ma serviette, mes vêtements propres et mon savon. Emma devait être sur le point de rentrer. En chemin, j'ai cherché Couguar des yeux. Il n'était nulle part.

Quand Josée est passée en face de mon tipi, je l'ai arrêtée.

— Tu as vu Couguar?

Elle s'est tournée vers la plage, où il n'y avait que Lapin, Cheval, Corneille et nos deux moniteurs.

— Maintenant que tu me le demandes, ça fait un bout que je ne l'ai pas vu.

— Bon... Ok...

Libellule a haussé les épaules et est retournée au feu de camp. J'ai regardé vers la forêt.
J'avais un mauvais pressentiment. Comment
pouvait-il n'être nulle part?

J'ai serré mon savon et ma serviette contre
moi et je suis parti dans les bois sans faire
de bruit. Il ne m'a pas fallu longtemps pour
entendre la chute d'eau un peu plus loin. Je
ne distinguais pas Emma, mais ce que j'ai vu
à la place m'a sidéré.

Couguar s'était caché dans les fougères un
peu plus bas et il regardait Emma se rhabiller.
J'étais tellement furieux que j'ai foncé vers lui
en jetant mes choses par terre.

— Ahhhhh!

Il a tout juste eu le temps de se retourner
qu'il avait déjà mon poing dans la figure.

— Espèce d'enfoiré de pervers!

Il n'a rien ajouté et, pour moi, c'était pire
qu'un aveu! Il a fini par prononcer deux mots.

— Ferme-la!

— Ferme-la? Moi qui pensais que t'avais
un peu de cœur! Eh ben! J'me suis trompé!

J'étais à deux doigts de lui faire manger
une branche d'arbre!

Il a levé les poings.

— Tu veux que je te fasse goûter à ma médecine ?

Il parlait bien sûr du nez cassé de Corneille.

— T'es dégueulasse ! Comment tu peux faire ça ? J'te défends de regarder Emma comme ça !

Couguar a hoché la tête.

— Emma ! C'est comme ça qu'elle s'appelle ! C'est bien plus beau que Hibou sage !

— La ferme !

Emma avait fini par entendre le vacarme que nous faisions et marchait vers nous.

— Mais qu'est-ce que vous faites là ?

J'étais furieux. Je me suis retourné et je l'ai vue se cacher derrière sa serviette.

— Tu es vraiment allé trop loin, Couguar ! Vraiment !

Alertés par les cris, Faucon et Cerf venaient tout juste d'arriver en courant. Cerf a tout de suite vu le sang sur la lèvre inférieure de Couguar et m'a regardé avec insistance.

— J'attends ! Ours ?

— Je l'ai surpris en train d'épier Emma alors qu'elle se lavait dans la chute !

Cerf, stupéfait, a haussé les sourcils.

— C'est vrai ?

Couguar rigolait. Ce type était malade, pour sûr !

— Ouais. Les filles, toutes les mêmes !

Faucon était rouge de colère.

— Tu viens de dépasser les bornes ! C'est une grave entrave au règlement et au respect !

Cerf a appuyé Faucon.

— C'est inacceptable !

Emma, qui s'était rhabillée à la hâte, avait la figure pourpre.

— Je n'arrive pas à y croire ! Tu m'as vraiment espionnée toute nue ? C'est dégoûtant !

Elle a éclaté en sanglots.

— Et puis toi ! Qu'est-ce que tu fais là ?

Ça me rendait triste qu'elle puisse croire que j'accompagnais Couguar.

— Je me suis aperçu que Couguar n'était pas là depuis un moment... je me suis douté de quelque chose !

Elle a reniflé, les deux mains dans la figure, complètement humiliée. Cerf l'a serrée dans ses bras. Il a jeté un regard de glace à Couguar.

— Je t'expulse du camp, Couguar. D'abord, les bagarres, et ensuite, la violation de l'intimité d'Emma ! Tu as plus que dépassé les bornes !

Celui-ci a haussé les épaules en rigolant.

— Ça ne me dérange pas ! J'en ai marre d'être ici, de toute façon !

Cerf a demandé à Emma de retourner au camp avec Faucon, nous laissant seuls tous les trois.

— Qu'est-ce qui serait arrivé si je ne t'avais pas vu ?

Couguar a soupiré.

— Rien, voyons ! De toute façon, j'ai rien fait de mal ! C'est vous autres qui capotez pour un rien !

Cerf s'est dressé devant lui, les bras croisés sur sa poitrine.

— Qu'est-ce que tu vas faire, maintenant ? En quinze ans d'expérience au camp avec des jeunes hommes comme toi, c'est la première fois que j'en arrive là. À l'expulsion.

— Faut une première fois à tout, mon vieux ! Je vais rester dans les annales !

Cerf a secoué la tête.

— Que comptes-tu faire, à ton retour ? Qu'est-ce que ta mère va en dire, tu crois ?

Couguar a froncé les sourcils derrière sa mèche de cheveux noirs.

— Ma mère, j'm'en fous !

— Tu crois que tu vas pouvoir continuer ta vie comme ça ? Te faire détester de tout le monde ? Te battre ? Faire le voyeur et je ne sais quoi d'autre ?

Couguar a regardé Cerf dans les yeux et j'ai vu toute la violence qui s'y trouvait.

— Je t'ai dit que j'm'en foutais comme de l'an quarante, alors fous-moi la paix !

Cerf a hoché la tête en signe d'assentiment.

— D'accord, mais sache que la vie va te donner la leçon que tu mérites, et ça, personne n'y échappe. C'est la loi du retour. Et j'espère que tu comprendras alors le mal que tu as fait.

Couguar a fait la moue.

— Bon ! Je peux ramasser mes affaires, là ?

— Oui. Je vais téléphoner au directeur des transports du camp. Tu seras évacué tout de suite après. Je vais moi-même te mener à la route la plus proche. On va devoir marcher au moins pendant trois heures à travers les bois. Alors prépare-toi de l'eau, car je n'arrêterai pas. Ensuite, tu partiras avec le directeur en voiture et il te ramènera au camp principal où ta mère viendra te chercher.

Couguar est parti vers les tipis sans se retourner. J'avais du mal à y croire.

— Cerf ?

— Hum ?

Il le regardait marcher avec un air hébété.

— Je... je ne peux pas croire qu'on en soit arrivés là.

Il a acquiescé, atterré.

— C'est malheureusement le cas.

— Bon... je crois que je vais me laver... il ne reste que moi.

— Oui. Ours, je sais que tu as dû lui en vouloir vraiment beaucoup.

J'ai haussé un sourcil en ramassant ma serviette et mes vêtements par terre. Ils étaient pleins de terre et de petites feuilles séchées. Je les ai secoués en soupirant.

— Hibou est très importante pour moi... peut-être comme Faucon pour toi ?

Il a pris un air étonné.

— Qu'est-ce que tu dis ?

— Je t'ai vu l'embrasser hier soir auprès du feu.

— Oh !

J'ai caché mon sourire en pinçant les lèvres.

— Ce sera notre secret.

Il a éclaté de rire.

— J'suis d'accord! Alors, veille bien sur Faucon le temps que j'aille porter ce gars à la direction! Je suis vraiment déçu de ne pas avoir réussi à lui faire entendre raison. Je sais qu'au fond de son cœur il y a encore un peu d'espoir… mais je ne suis pas arrivé à l'atteindre.

J'ai posé ma main sur son épaule avant de partir me laver.

— Je crois que des fois… il n'y a pas de recette miracle. Ma grand-mère Thérèse disait toujours: «Quand l'arbre pousse croche, c'est bien difficile de le ramener drète!» Alors, peut-être qu'un tuteur n'était pas assez?

— Je reconnais bien la sagesse en toi.

— Merci…

Il m'a serré la main.

— Non, c'est moi qui te remercie. Tes paroles me touchent.

La Randonnée sur la Rivière

Cerf avait déjà quitté le campement avec Couguar pour le raccompagner jusqu'à la route. Tout le monde était choqué de son attitude. Quant à Corneille, il jubilait.

— Ben bon pour lui ! Ce n'est pas un camp nomade que ça lui prend, à ce gars-là, c'est un psy !

— Ok ! J'veux plus en entendre parler !

Emma était très bouleversée et je la comprenais.

— Ours, je peux te parler deux minutes ?

J'ai terminé ma dernière bouchée de truite et j'ai avalé le dernier champignon dans ma gamelle.

— J'arrive.

Elle s'est dirigée vers notre tipi et en a fait le tour pour que nous soyons cachés de tous.

— Je... je voulais te remercier. Si tu n'avais pas été là... je ne sais pas trop jusqu'où il serait allé... je...

— Chut… Il ne se serait rien passé.

Ses lèvres tremblaient et j'avais peur qu'elle pleure.

— C'est fini, Emma.

Je l'ai serrée très fort dans mes bras.

— Il ne sera plus là.

— Je n'aurais pas pu le supporter… je n'aurais pas pu le voir poser les yeux sur moi, en sachant qu'il m'a vue… tu sais?

— C'est compréhensible.

Son cœur battait très fort.

— Je te demande pardon, Emma.

Elle s'est reculée en s'essuyant les yeux.

— Mais pourquoi?

— De ne pas être arrivé plus tôt!

Elle m'a serré la main très fort.

— Ne dis pas de bêtise, voyons… personne n'aurait pu savoir ce qu'il avait en tête. C'est encore beau que tu sois arrivé tout court!

J'ai acquiescé, en passant le revers de ma main sur sa joue.

— Alors ça va mieux?

— Oui… merci.

Faucon a tapé dans ses mains en signe de ralliement.

— Préparez-vous ! On part dans cinq minutes !

Je me suis mouillé le premier. L'eau était très froide et elle s'infiltrait très lentement dans mes mocassins, alors que le soleil plombait. C'était terrible !

— Ooooouuuu ! L'eau est glaciale !

Faucon a éclaté de rire.

— C'est à cause du courant ! L'eau n'a pas le temps de se réchauffer.

Cheval fougueux avait été jumelé avec Corneille et maintenant que son supposé copain était parti, c'était bizarre, mais il avait l'air plus détendu. À croire qu'il en avait un peu peur, lui aussi. Il a éclaboussé Corneille qui a éclaté de rire. C'était plaisant. J'avais l'impression que tout se passerait bien, à présent !

— Tiens le canot, Ours ! Oups !

Emma tentait de passer sa jambe par-dessus le rebord pour prendre place. Le courant n'arrêtait pas de déplacer le canot. Je n'y pouvais rien.

— Ah ! Oooooh !

— Attention !

J'ai rattrapé Emma de justesse, car son pied gauche venait de glisser sur une roche au fond de l'eau. Il fallait dire que les mocassins étaient loin d'être antidérapants. Emma a éclaté de rire.

— Mon Dieu ! J'ai failli boire une tasse d'eau !

— Yep ! J'vais t'aider !

Une fois Emma installée, je me suis dépêché de faire pareil et de prendre une pagaie.

— J'ai mouillé mon bandage ! Raaah !

— J'suis désolée, c'est ma faute !

— Bah ! On ne fait pas d'omelette sans casser d'œufs !

Au bout d'une dizaine de minutes à pagayer dans des petits remous, on a abouti dans une zone plus calme. Faucon nous a demandé de nous rassembler du mieux qu'on pouvait sur l'eau.

— J'aurais aimé que Cerf soit là pour vous parler de ce pic, là-bas. Vous le voyez ?

Une énorme montagne se reflétait dans la rivière. Son sommet était très pointu.

— Une légende dit que celui qui grimpe jusque là-haut aura la vie éternelle !

Corneille a éclaté de rire.

— J'comprends! C'est certain que tu y laisses ta peau! Voyons donc! Personne ne peut grimper ça et en sortir vivant! La vie éternelle! Mort, oui!

Faucon a rigolé.

— Oui, enfin, il y a quand même quelqu'un qui a réussi en 2004.

— On ne sera pas là pour savoir s'il va atteindre la vie éternelle!

Tout le monde riait. Faucon a continué:

— Cerf dit qu'un jour un vieux chaman lui a demandé de l'accompagner dans son ascension du pic. Il a accepté. Malheureusement, le vieil homme n'a pas pu grimper plus que la moitié du pic. C'est que, voyez-vous, là-bas, plus à l'ouest, le pic devient plutôt rocheux et l'on doit avoir une certaine connaissance en escalade pour se rendre plus loin. Cerf n'aurait eu aucun problème, mais pour le chaman c'était une autre histoire.

J'imaginais sans peine la chose.

— Alors, il a demandé à Cerf de camper sur le rebord d'une falaise. Cerf a accepté. Ils y sont restés deux jours. Le chaman lui a transmis beaucoup de son savoir sur les hommes et la vie en général. Il lui a dit une phrase qui lui a beaucoup plu. Si je me souviens bien, ça disait : « C'est quand on est au sommet de sa vie que l'on peut bien voir autour. » Le chaman voulait faire son bilan personnel dans les hauteurs. Il avait demandé à Cerf de l'accompagner à cet endroit pour pouvoir voir autour de lui. Cerf a trouvé cela très beau et, chaque année, il va se recueillir sur ce pic pour penser à sa vie et à ce qui l'entoure au moment présent. Il se rappelle aussi la mémoire de ce vieux sage qui est retourné voir le Grand Esprit, maintenant.

Personne n'a parlé. On regardait tous vers le pic en s'imaginant la scène. Emma m'a lancé un peu d'eau.

— C'est cool comme histoire !

— Mets-en !

— Je me demande si on va pouvoir faire ça, un jour…

— Quoi ? Monter le pic ?

Elle a haussé les épaules.

— Pourquoi pas ?

— J'sais pas… pourquoi pas ?

Faucon a soupiré et s'est mise à pagayer.

— Maintenant, un peu d'action ! On va longer le bord de la rivière et descendre de petits rapides !

J'ai regardé mon mollet bandé, Emma et le nez de Corneille avec ses deux yeux au beurre noir. Il me semble que de l'action, y en manquait pas! Enfin, ce n'était pas moi le patron de l'horaire de la journée!

On a pagayé comme des fous jusqu'à ce qu'on tourne légèrement à gauche pour contourner une dernière fois les berges de la rivière. En fait, la rivière s'élargissait considérablement de l'autre côté.

— Ouf! C'est big!

Emma a arrêté de pagayer.

— Hey! Regardez!

Il y avait un super courant qui nous attendait de l'autre côté de la berge. Il ne manquait plus que ça! J'allais devoir puiser dans mes réserves de courage. Et ce n'était pas tout! Un ours énorme pêchait dans les tourbillons d'eau avec ses grosses pattes. Le canot d'Édouardo et de Josée s'est collé au nôtre.

— Waouh! J'suis pas certain, là!

Édouardo s'est accroché à notre embarcation.

— Pagaye à l'envers, Libellule! Merde! J'ai pas l'goût de me faire bouffer! J'ai assez de cicatrices de même!

J'étais bouche bée! Je ne savais pas trop quoi faire. J'avais envie d'imiter Édouardo. De m'accrocher après le canot d'un autre ou encore de partir à contresens à la nage. Ça irait peut-être plus vite… même si j'étais plutôt mauvais nageur!

— Ohhhh! Je capote!

Emma s'était relevée à genoux pour mieux voir.

— Emma! Assis!

Le canot a tangué dangereusement, me mettant dans de sales draps en arrière.

— Lâche mon canot, Édouardo! On va se renverser sinon!

Édouardo fixait l'ours plus loin dans la rivière. Faucon nous a appelés:

— Hey! Vous venez ou quoi? Y a pas de problème! On va passer à côté et de toute façon, nous sommes tous en canot!

J'étais loin d'être rassuré.

— Maudit, Édouardo, tu vas le lâcher, ce foutu canot?

Il était pétrifié à l'idée de passer près de l'ours dans les remous. Ça se comprenait, mais là!

— Bon ! Tu lâches ou je te tape sur les doigts avec ma pagaie !

— Tu débloques, man ! Je ne veux pas aller par là ! Y a que les fous de kayak qui font des trucs pareils ! Ça prend de l'entraînement ! Je ne veux pas risquer ma vie !

J'ai regardé Libellule, l'air suppliant.

— Il va pourtant falloir qu'on le fasse… le courant nous y entraîne malgré nous ! Regarde, on a la moitié de la distance de tout à l'heure de fait ! On se rapproche !

Faucon descendait déjà avec son canot, suivie de Corneille et de Cheval. L'ours a cessé ses activités, surpris, mais n'a pas du tout bronché.

— Tu vois ? Ils l'ont fait, c'est donc pas si pire !

Pendant que j'essayais de convaincre Édouardo, le courant s'est mis à augmenter. Emma, curieuse comme dix, s'était encore mise à genoux et s'étirait pour voir les autres devant. Je ne l'ai pas vue faire, sinon j'aurais prévu ce qui allait se passer.

Édouardo a tiré fort sur notre canot qui s'éloignait et… Emma est tombée dans la rivière, dont le courant n'était plus trop calme.

— Ahhhhhhhh !

— Emma !

Édouardo pleurait.

— J'ai pas fait exprès !

— Tais-toi, tête de mule !

Emma a disparu un instant pour réapparaître environ dix mètres plus loin.

— Emma !

— Oh ! Ooooooh !

Elle n'arrivait pas à parler et le courant l'emportait tout droit vers l'ours qui se tenait toujours immobile. Impossible d'avertir Faucon, elle devait avoir traversé la moitié des remous ! De plus, on ne pouvait pas remonter une rivière. Je n'avais pas le choix : je devais sauter moi aussi !

Je me suis jeté par-dessus bord. Édouardo était dans tous ses états.

— N'y va pas !

Je n'avais plus le temps de penser à lui. Tout ce que je voyais était la tête d'Emma qui sortait de l'eau à un rythme irrégulier. Elle toussait et j'avais du mal moi aussi à tenir bon.

L'eau était puissante et le courant était si rapide que mes pieds se fracassaient sur les roches du fond dès que j'essayais de ralentir.

C'était assez douloureux pour que je n'essaie pas de nouveau.

— Emma! J'arrive! J'arrive, ne t'en fais pas!

Elle ne répondait pas. Elle était beaucoup trop occupée à tenter de nager pour éviter l'ours. Je ne pouvais pas voir si elle allait y arriver.

J'étais un bien mauvais nageur, mais j'ai quand même réussi à attraper sa main.

— J'te tiens!

— Mady! Ne me lâche pas!

Le soleil était éblouissant et, chaque fois que notre tête émergeait de l'eau, on n'y voyait rien, de sorte que, même avec tout mon bon vouloir, je nageais à l'aveuglette et elle aussi. J'ai levé les yeux. L'ours était à deux mètres de nous. J'entendais Édouardo crier comme une fille alors que son canot dévalait la rivière à notre gauche. L'ours, alerté par le cri, s'est dressé sur ses pattes de derrière et a commencé à grogner.

— Quelle horreur!

Emma a essayé de me grimper sur le dos et ma tête s'est retrouvée sous l'eau. J'avais peur de faire une crise d'asthme, de me noyer, de me faire bouffer tout cru, de retrouver Emma blessée, de perdre connaissance. Soudain, j'ai ouvert les yeux. Je n'allais pas finir comme ça ! J'ai poussé avec mes jambes le plus fort que je pouvais et Emma s'est retrouvée derrière moi. Je touchais le fond et mes pieds résistaient. Tout ce que je voulais était de retourner dans le courant vif de la rivière ! Dans le courant ! Si je me laissais porter, j'allais me retrouver échoué sur la grève, Emma avec moi. L'ours aurait vite fait de nous écorcher.

— Emma, écoute-moi !

Elle pleurait à chaudes larmes.

— On va se tirer d'là !

L'ours s'est mis à quatre pattes en reniflant et j'ai poussé avec mes jambes pour retrouver le courant. Emma s'est accrochée à moi et… Voilà ! Ça y était ! Le courant nous avait enfin emportés plus loin.

L'ours nous a regardés nous éloigner sans broncher. Il avait bizarrement l'air aussi soulagé que moi.

— Mady ! Mon Dieu !

Emma me serrait fort. Le courant nous faisait glisser entre les rochers. C'était stressant.

— Ne lâche pas, Emma ! Il faut juste se laisser aller ! Juste ça !

Elle a acquiescé, les yeux grands ouverts. Je voyais bien qu'elle était terrorisée. Je l'étais autant qu'elle, mais je préférais ne pas le lui montrer pour qu'elle ne se remette pas à paniquer. J'avais bien l'intention de garder la tête en dehors de l'eau, cette fois.

On a descendu le courant à une vitesse phénoménale. Je ne pensais jamais vivre une telle expérience. J'avalais plus d'eau que d'air, mais j'étais sain et sauf. Au bout de quelques minutes qui m'ont paru des heures, Emma accrochée à mon dos, j'ai atteint l'eau calme. Faucon nous attendait avec tout le groupe. Parmi eux se trouvait un Édouardo honteux et rouge comme un homard.

— Pauvres vous ! Habituellement, on fait ce genre de descente avec une préparation !

Elle a éclaté de rire. J'ai senti les ongles d'Emma dans la chair de mes épaules. Elle était furieuse.

— Je ne crois pas que je vais recommencer ce genre d'activité ! J'ai failli me noyer !

Emma était hors d'elle.

— À cause de ce plouc ! Non mais, t'es pire qu'un enfant de maternelle !

Édouardo regardait dans le fond de son canot.

— J'ai jamais vu un bébé pareil ! C'est à cause de cet énergumène que j'ai failli y laisser ma peau !

Faucon a observé ma tête, puis celle d'Édouardo et a de nouveau éclaté de rire.

— Quel divertissement ! C'est mieux que la télé ! Ceux qui disent qu'on n'a rien à faire dans le bois devraient voir ça !

Corneille et Cheval ont tiré notre canot, qui était arrivé indemne en bas des remous.

— Tiens, vieux ! Je pense que tu dois avoir envie d'y remonter !

Je commençais à me plaire, dans l'eau. En fait, il faisait chaud et humide et je dois dire que c'était quand même bien, de se baigner un peu. Dans l'eau calme, toutefois !

Faucon a sauté à l'eau la première et c'est tout le groupe qui en a profité par la suite. On l'avait tous bien mérité ! Le plus beau, c'est qu'il n'y avait pas d'ours à l'horizon !

Le Retour de Cerf

J'avais les pieds, les épaules et les bras en compote, sans compter que mon bandage pendait à la cheville. La cicatrice avait l'air potable, alors j'ai décidé de la laisser à l'air libre. Grand-maman Thérèse disait toujours : « Un bobo à l'air libre, c'est comme une bière après la tondeuse à gazon : y a pas mieux ! » Je ne savais pas si elle avait raison, mais autant faire ce qu'elle disait ! Le portage des canots de la berge jusqu'au camp avait été une dure épreuve. J'avais faim, car le dîner n'avait pas vraiment été consistant. Faucon nous avait fait découvrir des plantes, des racines et des champignons, on avait aussi mangé des petits fruits, mais là, je les avais dans les talons !

Corneille, Édouardo, Libellule et Cheval étaient partis pêcher de nouvelles truites. La rivière en débordait, alors le souper était assuré. Faucon voulait aussi nous faire cuire du riz. J'étais un peu tanné de manger du poisson, mais j'avais tellement faim que j'aurais avalé n'importe quoi !

J'ai aidé à faire le feu, commencé à préparer les champignons que Faucon avait ramassés en surplus et fait bouillir de l'eau pour le riz.

— Tiens ! Ça va être bon, avec les truites !

Elle m'a donné une grosse poignée d'herbes que je ne connaissais pas.

— Un peu d'ail des bois et de la menthe sauvage.

— Oh !

J'ai continué à travailler et Emma a préparé les branches qui allaient servir à faire cuire les poissons.

— Tu penses que je vais avoir assez de huit branches ?

— Oui.

— Ours...

J'ai levé les yeux vers elle en laissant tomber mon dernier champignon dans la casserole.

— Je m'excuse d'avoir capoté, dans la rivière... je suis désolée. J'ai perdu mon sang-froid.

Je ne voulais pas qu'elle se sente coupable.

— Ben non, c'est naturel. J'veux dire, n'importe qui aurait réagi de cette façon-là. Hey ! J'y pense... ça fait deux fois que tu t'excuses, aujourd'hui !

Elle a arqué un sourcil.

— Je suis sérieuse. Et je ne suis pas d'accord : tu as gardé ton sang-froid et moi, je t'ai laissé tomber.

— Ne dis pas une chose pareille.

Elle a secoué la tête.

— C'est pourtant vrai.

Je me suis rendu compte que j'avais changé. J'étais devenu plus fort. J'avais assuré ! Pas peu fier, j'ai relevé la tête.

— Défendre une belle fille comme toi ? N'importe quand !

Elle a éclaté de rire et m'a tendu la main.

— Merci...

Le soleil a disparu au moment où notre souper a commencé à cuire sur le feu. La pêche avait été bonne et tout le monde aurait sa truite... même Cerf. Ce dernier n'allait sûrement pas tarder, d'ailleurs. Je me suis occupé à faire cuire mon poisson avec attention. J'avais tellement faim que j'étais quasiment prêt à le manger cru. Je devais avoir maigri de dix livres. J'avais des rages de sucre et j'aurais tué pour un sac de chips pickles et aneth... mais y en avait pas, dans le bois !

Le bruit des branches qui craquaient dans la pénombre nous a tous fait sursauter. Faucon s'est levée et ses épaules se sont relâchées quand Cerf et sa louve Bikbi sont apparus, sortant de nulle part. Cerf avait dans ses mains des choses… horribles!

— Bonsoir, les amis! Je suis content d'être de retour!

Tout le monde n'avait d'yeux que pour son bagage à main. Dans le noir, ça ressemblait à deux serpents. Corneille s'est exclamé tout haut:

— Mais qu'est-ce que c'est que ce truc?

Cerf s'est exclamé:

— En voilà un accueil! De quoi parles-tu?

Corneille a pointé sa main.

— De ça!

— Oh! Ça!

Il a fièrement brandi le fruit de sa chasse.

— Ce sont des couleuvres!

J'ai réprimé un frisson de dégoût. Il était dégueu de nous montrer ça avant qu'on mange!

— Je les ai capturées en revenant sur mes pas. Je vais les préparer et les faire cuire. C'est très bon, vous savez! De toute façon, vous allez tous y goûter!

Tout le monde continuait de faire cuire sa truite au-dessus du feu en prenant soin d'éviter son regard.

— Moi j'veux bien y goûter !

Cheval fougueux venait de tous nous surprendre. Lui qui était discret et timide, voilà qu'il voulait goûter à cette chose répugnante ?

— Tu ne le regretteras pas, Cheval ! C'est aussi bon que du poulet !

Cheval n'avait pas l'air convaincu, mais il prenait le risque et, pour ça, il avait toute mon admiration.

— Apprêtons-les ! Mais avant, je voulais vous dire que j'ai beaucoup parlé avec Couguar en rejoignant la route. J'espère qu'il pourra voir clair et effectuer un changement dans son attitude. Si vous avez besoin de vous confier à moi pour tout sujet le concernant, je serai disponible pour vous. Sinon, nous allons passer à autre chose.

Personne n'a bronché. Pas même Emma, ni Cheval fougueux, son pseudo-ami. Il avait encore l'air soulagé. Peut-être qu'ils n'étaient pas si amis que ça, finalement.

Une opération que je qualifierais de monstrueuse a ensuite commencé. Cerf a tranché, épluché, dénudé, coupé, effilé les deux couleuvres. C'était dégueu! Le résultat a donné une vingtaine de morceaux de chair blanche dans le fond d'un poêlon. Il avait l'air satisfait.

— Je vais cuire le tout!

Je devais avouer que l'odeur était semblable à celle du poulet et pas du tout désagréable.

— Tu vas en manger?

Emma s'était mis un morceau de champignon dans la bouche et parlait la bouche pleine.

— Je pense que oui.

— Ouf!

— Ben quoi? Ça sent bon, non? J'avoue que si je ne l'avais pas vue avant… je veux dire, la bête, là… ça aurait été mieux!

Emma a reniflé.

— Ouin… Ah! Ça m'écœure, mais j'vais y goûter! De toute façon, j'voudrais épater un peu mon père en lui racontant ça!

La texture était plus floconneuse que celle du poulet, mais le goût était passable. J'ai regardé Emma, dans l'attente de son verdict.

— Pas mal… Je n'aurais jamais cru que c'était de la couleuvre!

Cerf a éclaté de rire devant nos airs hébétés.

— C'est bon, n'est-ce pas ?

On s'est tous mis à rire. Cerf a enfourné un morceau.

— Demain, je vous emmène tous chasser la perdrix !

— Quoi ?

Libellule a secoué la tête.

— Non ! Moi je ne chasse pas ! C'est contre mes convictions !

Cerf a souri en regardant le feu. Il a jeté dedans son bout de bois avec lequel il piquait ses morceaux de couleuvre. Bikbi s'est collée sur lui en mâchant un morceau et il lui a flatté la tête lentement. Il s'est ensuite tourné vers Libellule.

— C'est contre tes convictions ?

Libellule s'est redressée fièrement.

— Oui !

— Alors, tu ne manges jamais de viande ?

— Euh… ben oui…

— Tu manges donc la viande qu'un autre a chassée pour toi. Où est la différence ?

Josée était bouche bée.

— Je… je ne veux pas donner la mort à un être vivant !

— C'est pourtant ce que tu fais lorsque tu manges ton hamburger au petit resto du coin. N'est-ce pas ?

Josée a gardé le silence.

— Tu sais, la viande que tu consommes n'est pas le fruit d'un mélange d'ingrédients chimiques. Elle vient de la nature.

Elle a hoché la tête.

— Tu sais, Cerf, ai-je avoué, moi aussi je crois que j'aurais de la misère à chasser !

Il s'est levé et a secoué ses mains sur son pantalon.

— Demain, il le faudra si vous voulez manger autre chose que du poisson ! Chacun doit au moins comprendre d'où vient la nourriture !

Sur ses belles paroles, il s'est retiré dans son tipi, suivi de sa louve. Faucon s'est aussi levée.

— J'aimerais que chacun nettoie sa gamelle et, ensuite, je vous laisse libres de faire ce que vous voulez.

C'est ainsi que la soirée s'est déroulée. Dans le calme et l'appréhension. La chasse n'ayant jamais été mon truc, j'étais nerveux.

Moi, chasseur? Peuh!

Le réveil s'était fait sous la pluie. Mon sac de couchage était imbibé, et Emma avait l'air de souffrir du même problème que moi.

— T'as vu ça? Qu'est-ce qu'on peut faire, maintenant, pour faire sécher ça? Il pleut toujours!

Je n'avais aucune solution. Elle s'est laissée tomber sur son sac et un « splouch! » a retenti.

— Ah! Tu parles de belles vacances!

— On devrait commencer par tordre le tien.

Elle s'est appuyé le visage sur ses genoux en chignant.

— Pour quoi faire? Il pleut même sous le tipi.

Elle avait raison, mais peut-être qu'on pouvait améliorer les choses.

— Je vais aller voir Cerf pour lui demander quoi faire!

Toujours la tête entre les genoux, elle a haussé les épaules. Je me suis donc débrouillé tout seul. Cerf avait installé deux toiles à bonne distance au-dessus du feu pour éviter que la pluie ne l'étouffe. Il terminait de serrer son dernier nœud.

— J'ai un problème majeur, Cerf !

— Ah bon ?

— Oui… Nos sacs de couchage sont pleins d'eau et la pluie a inondé notre tipi !

— Vous n'êtes pas les seuls. Faucon vient juste de partir pour aider Cheval et Corneille. Ils ont aussi eu une bonne infiltration.

Ça ne me disait toujours pas quoi faire.

— Alors ?

— Je vais voir ça avec toi !

En marchant pour se rendre à mon tipi, il a mis sa main sur mon épaule.

— Toujours prêt pour la chasse ?

— Ouin…

Il a hoché la tête fièrement.

— Disons que je ne sais pas comment je vais réagir, autant te le dire tout de suite !

— La première chasse est toujours éprouvante !

Il a rigolé et s'est arrêté devant notre tipi, découvrant une Emma encore plus découragée qu'avant.

— Votre tipi est derrière une montée de terre. Regarde, le niveau est plus bas ici.

C'est pour ça que l'eau s'infiltre. Il va falloir le changer de place.

Emma s'est insurgée :

— Oui, mais là ! Ça nous a pris tout l'avant-midi, l'autre jour !

— J'vais vous aider !

En moins de temps qu'il le faut pour le dire, il avait retiré les piquets et tout d'un coup le tipi était dans les airs. À bout de bras, il l'a déplacé jusqu'à l'endroit qu'il avait choisi.

— Bon ! Une bonne affaire de faite ! Je vais vous installer des branches à l'horizontale devant le feu. Sous la bâche que j'ai installée, vos sacs pourront sécher convenablement. Tordez-les bien et venez me les porter. On va partir bientôt !

Emma m'a regardé, la bouche grande ouverte. En cinq minutes, Cerf avait réglé tous ses problèmes, elle qui les voyait gros comme une montagne.

— Tu vois ? Y a pas de problèmes, juste des solutions !

Elle a soupiré.

— Ouais… mais on va quand même passer la journée à errer dans les bois trempés jusqu'aux os ! Il ne connaîtrait pas une danse contre la pluie, par hasard ?

Pour ça, elle n'avait pas tort !

— Tu le lui demanderas !

✗ ✗ ✗

Les cheveux complètement aplatis sur la tête, je me suis mis en ligne pour recevoir ma fronde. C'était avec cette arme que nous allions chasser la perdrix. Pour ma part, je n'avais jamais vu de perdrix de ma vie et j'avais peur de la confondre avec un écureuil !

Corneille était tout excité et s'exerçait déjà avec le caoutchouc pour voir jusqu'où ça s'étirait. Tout ça sous une pluie quasi diluvienne.

— Hey ! Regarde ça ! C'est cool, hein ? J'espère que je vais être capable d'en capturer une ! J'aimerais en manger ce soir !

— Ouin…

C'était mon tour. Cerf m'a déposé la fronde dans la main.

— Ceci est une arme. Ne t'en sers que si tu es certain d'abattre l'animal. Le blesser est hors de question. Le but n'est pas de faire du mal, mais de se nourrir.

J'ai acquiescé. J'étais un petit peu nerveux. Au bout de quelques minutes, tout le monde était paré. Cerf nous a tous réunis et a commencé à nous expliquer :

— La perdrix est un peu comme une petite poule. C'est un gibier très abondant dans la forêt. Sa chair est très appréciée des renards, entre autres, qui, avec les moufettes, les ratons-laveurs et les tamias, adorent aussi ses œufs. Alors, méfiez-vous ! Habituellement, le nid est par terre au pied d'un arbre ou d'une souche.

Libellule, qui serrait sa fronde serrée contre elle, lui a coupé la parole.

— Pourquoi il faut se méfier ?

Cerf a haussé un sourcil, étonné.

— Il me semble que c'est évident ! Si tu rencontres une moufette et que tu lui fais peur, je pense que tu sais ce qui risque d'arriver.

— Euh... oui !

— Donc, il faut approcher lentement, ne pas parler, ne pas faire de bruit avec les branches et surtout ne pas être trop pressé de tirer.

Il a fixé Corneille, question d'attirer son attention.

— J'ai une question.

Emma secouait la fronde dans tous les sens.

— Comment est-ce que ça marche, ce truc ?

Cerf s'est penché pour fouiller sur le sol. Il s'est relevé avec un caillou rond d'un diamètre d'environ cinq centimètres.

— Regardez bien. Ici, il y a une partie un peu plus grande.

Il s'est penché pour que tout le monde puisse voir dans quel sens il plaçait le caoutchouc de sa fronde.

— On met donc le caillou ici en le tenant fermement du bout des doigts. Vous voyez ?

Tout le monde a hoché la tête d'un commun accord.

— Ensuite, on étire le tout en tenant fermement le bâton, ici. Je vais viser la boîte de métal, juste là.

Le choc a résonné à travers la forêt.

— Voilà ! Si c'était une perdrix, le souper serait servi !

On était tous étonnés de la force avec laquelle il avait projeté le caillou sur la caisse. Un creux s'était même formé sur le devant.

— Maintenant, on y va ! Tout le monde sait se servir d'une boussole, alors... Faucon ?

Elle nous a donné à chacun une boussole munie d'un lacet pour la mettre autour du cou.

— Je vous conseille d'écrire tout de suite nos coordonnées. Cependant, avec cette pluie, vous devriez peut-être les mémoriser. Pour le reste, marchez tout droit pendant environ vingt minutes. Chaque groupe partira dans une direction opposée, alors on aura tous notre territoire de chasse. N'hésitez pas à vous repérer fréquemment à l'aide de votre boussole. Est-ce qu'il y a des questions?

Tout le monde était prêt.

— Je vais former des équipes. Libellule, Lapin, ensemble! Allez-y, nord-est!

Josée a jeté un dernier coup d'œil inquiet à Cerf et elle a suivi Édouardo. Ce dernier était tout fringant à l'idée de pouvoir épater sa douce à la chasse. C'était à voir: rien n'était gagné d'avance!

— Ours, Hibou, ensemble! Direction nord!

J'étais content. Je ne voulais pas qu'Emma soit avec quelqu'un d'autre. Surtout avec ce temps qui nous rendait tous beaucoup plus fragiles.

J'entendais encore Cerf distribuer des ordres, mais je ne le voyais plus. Je marchais au côté d'Emma sans dire un mot.

— Ralentis un peu! J'ai mal au mollet!

— Je m'excuse! C'est juste qu'aujourd'hui j'suis pas trop de bonne humeur! J'me serais passée de la leçon de chasse!

— J'te comprends. Je ne sais pas ce que je donnerais pour un bon chocolat chaud et un lit frais lavé.

Emma a roulé les yeux à l'envers.

— Ne tourne pas le couteau dans la plaie !

On a marché comme ça un bon bout de temps et la pluie continuait de nous assommer même à travers le feuillage de la forêt. C'était à croire que, finalement, on était peut-être mieux ici qu'à la grosse pluie battante sur la grève. Emma s'est arrêtée et j'ai consulté la boussole pour nous repérer.

— Je suis tannée de marcher. D'après moi, on est assez loin comme ça !

Elle chuchotait.

— Tu crois qu'on va réellement attraper une de ces poules sauvages ?

J'ai rigolé sans faire de bruit.

— J'sais pas. On devrait observer un peu en se mettant à genoux, histoire d'avoir la même vision que la poule.

— T'es nono !

— Ben quoi ?

— Ah !

Emma s'est mise à genoux derrière un tronc couché sur le côté. Tout était spongieux et la mousse verte couvrait le sol et les troncs d'arbres morts. Elle m'a regardé d'un air espiègle.

— Si j'étais une poule de la forêt et non une poule de ville, je crois que j'me plairais, ici !

J'ai éclaté de rire.

— Chut !

— Oh ! Oui ! C'est vrai ! Il faut faire silence…

Vingt minutes plus tard...

— Je n'ai pas vu l'ombre d'une poule de la forêt depuis qu'on est ici. On devrait peut-être changer d'emplacement ?

J'étais prêt à partir voir ailleurs si j'y étais !

— Chut ! Regarde !

J'étais trempé jusqu'à la moelle, mais, à travers les rivières qui me coulaient devant les yeux, je pouvais voir un spécimen sortir de nulle part et marcher vers nous.

— Oh ! Oh ! C'est moi ou toi ?

Emma m'a secoué.

— Les filles d'abord, espèce de…

Elle a ramassé le caillou qu'elle avait préparé et s'est mise en position. J'ai fait la même chose au cas où.

— Viens ici, ma poulette… Viens voir « ma tante » !

La perdrix se promenait, insouciante, inconsciente du danger.

— J'y vais !

La fronde a émis un sifflement et le caillou est parti si vite que je ne l'ai même pas vu passer. Seulement, elle n'avait pas visé comme il le fallait. La perdrix a battu des ailes et moi, dans un élan d'héroïsme, j'ai décidé de lui sauter dessus pour la capturer. Elle était si proche que j'étais certain de l'avoir.

— Mady !

Dans un éclat de plumes et de cris, j'ai fini par terre, les quatre fers en l'air avec la perdrix entre les jambes. Je lui tenais au moins une patte.

— Ne la lâche pas !

— Je la tiens ! Mais elle a des griffes !

Emma est accourue, mais, en moins de temps qu'il le fallait pour le dire, la belle perdrix m'avait griffé le bras gauche.

— Aïe ! Maudite marde ! Saisis-la !

Emma s'est jetée sur ma fronde qui était tombée par terre pendant le combat. Elle se préparait à lancer un caillou ou quoi ?

— Hey! Whooo! J'suis dessous!

Dans le feu de l'action et voyant que j'avais complètement perdu le contrôle de la bête, Emma a lancé le caillou. Ce dernier a frappé la tête de la perdrix pour ensuite ricocher sur mon œil.

— Ayooooooooye!

J'étais étourdi, quand la tête de la perdrix s'est affaissée sur mon front. J'avais l'air d'un beau tarla! Emma a laissé tomber son arme et s'est jetée sur moi.

— Ça va? J'suis désolée! C'était le seul moyen pour que cette poule te lâche!

J'ai déposé le volatile sans vie sur le sol entre deux roches pleines de mousse.

— J'ai pas l'œil crevé, au moins?

Emma a ouvert mon œil de force.

— Non, c'est correct, il est juste un peu rouge. Mais...

Son regard s'est porté sur la perdrix.

— J'ai tué une perdrix!

Elle avait l'air désolée.

— Tu veux dire « on »! J'ai risqué ma vie, moi!

— Ta vie! T'en mets pas un peu trop, là?

J'ai éclaté de rire, mais ça a vite passé quand j'ai vu la poule morte à mes pieds.

— Qu'est-ce qu'on fait, là ?

Emma l'a regardée tristement.

— J'imagine qu'on va la manger ?

— Ouais… j'imagine.

— Est-ce qu'on retourne au camp avec notre victime ?

— À moins que t'aies envie de commettre un autre meurtre et de me crever l'autre œil ? Je pense qu'une perdrix à deux, c'est assez !

Elle a acquiescé.

— Alors donne-moi la boussole et occupe-toi de transporter la poule !

En revenant, j'ai trouvé des champignons dont Faucon nous avait parlé. C'était important de ne pas cueillir n'importe quel champignon. Elle nous a dit que, si jamais on avait un doute, c'était beaucoup mieux de s'abstenir. Elle nous avait montré aussi que les plus toxiques sont ceux qui ont l'intérieur noir.

J'ai aussi trouvé du raisin sauvage, dont Cerf m'avait appris l'existence, et de la chicouté, une espèce de mûre orange. J'avais l'impression d'être un véritable homme des bois !

C'est à ce moment que j'ai entendu un cri horrible.

— Qu'est-ce que c'était ?

— On aurait dit la voix de Josée !

J'ai pincé les lèvres.

— Non... Édouardo crie comme une fille ! C'est lui ! Vite !

On a couru le plus vite qu'on a pu pour les rejoindre. Après tout, on n'était pas si loin les uns des autres.

— Emma, regarde !

Édouardo se tordait de douleur, les mains dans la figure. Avait-il fait une rencontre inattendue ?

— Hey ! Qu'est-ce qui s'est passé ?

Josée gesticulait plus qu'elle parlait.

— Il y avait du bruit dans les buissons ! Édouardo était certain que c'était une perdrix et il a lancé un caillou pour la faire sortir, mais...

Emma a terminé sa phrase.

— À l'odeur qui se dégage ici, c'est clair que ce n'est pas une perdrix qui se cachait là-dedans !

Josée était découragée.

— Qu'est-ce qu'on va faire ?

Je tenais à m'assurer d'une chose.

— Où est la moufette ?

Édouardo a ouvert un œil de peine et de misère.

— J'en ai dans la booooouche !

Pauvre gars...

— La moufette s'est sauvée. Je pense qu'elle a eu aussi peur que nous !

Emma a éclaté de rire.

— J'comprends donc, Édouardo ! Cerf nous avait bien dit de faire attention à cette possibilité !

Il s'est levé en tanguant. Il dégageait une odeur indescriptible.

— Laisse faire, toi ! Je n'ai pas de leçon à recevoir ! Maintenant, aidez-moi !

J'ai acquiescé.

— Il faut le ramener au camp. Aidez-moi, les filles ! Emma, prends la perdrix !

Josée a rougi d'un coup.

— Vous avez réussi à gagner votre souper ! C'est bien !

Elle a froncé les sourcils en regardant Édouardo.

— À cause de lui, on va encore être obligés de manger de la truite!

Souvenir de la chasse à la perdrix

Nous sommes retournés sur la plage. Il fallait d'abord débarrasser Édouardo de cette odeur horrible, ou du moins la diminuer! Cerf est arrivé en renfort dès que les cris de détresse lui sont parvenus.

— Qu'est-ce qui se passe ici?

Édouardo se sentait coupable et se cachait le visage avec ses avant-bras.

— Je n'ai pas besoin de l'entendre, finalement: ça se sent!

La pluie tombait dru et c'était vraiment pire sur la grève près de la rivière.

— D'abord, mon vieux, on va brûler tes vêtements. Y a rien à faire pour ça. Donne-moi tout!

Édouardo a rougi de la racine des cheveux jusqu'au cou.

— Retournez-vous! J'peux garder mes bobettes?

Cerf a éclaté de rire.

— J'espère pour toi que tu n'as pas les cale-
çons mouillés de pisse de moufette ?

Édouardo a grimacé. Pendant que Cerf
attendait qu'il mette ses vêtements au bout
de la branche qu'il tenait, je lui ai montré ma
perdrix.

— Qu'est-ce que je fais avec elle ?

Cerf m'a souri, cachant mal sa fierté.

— Dépose-la près du feu. Faucon va vous
montrer comment enlever les plumes quand
tout le monde sera revenu.

Enlever les plumes ? Je n'avais pas pensé à
ça. J'espérais que ce ne serait pas trop dégueu.
Emma et moi avons regardé Josée qui venait
d'attraper sa canne à pêche pour aller pêcher
son souper. La pauvre, encore du poisson.
Emma s'est retroussé les manches.

— J'vais l'aider !

— C'est gentil. Moi, je vais essayer de tenir
compagnie à Édouardo… même si j'ai peur de
perdre connaissance !

Cerf a fini par tout mettre à brûler. Les
vêtements ont un peu étouffé le feu, mais ce
n'était pas trop pire.

— Maintenant, il faut te laver! Viens, je vais te préparer une recette de plantes qui va tout faire disparaître!

Édouardo a pleurniché un peu, mais l'a suivi. Je lui aurais bien donné une petite tape dans le dos, mais... je préférais laisser faire!

Un autre souper à la lueur du feu

J'ai mangé ma part de perdrix avec appétit. Lui enlever d'abord les plumes n'avait pas été facile. Il avait fallu ébouillanter la bête pour les retirer plus facilement. Assez dégueu... mais nécessaire. Je comprenais Cerf quand il disait que la chasse avait quelque chose de noble si elle était faite dans le respect de la nature. J'étais content de manger ce que j'avais durement chassé avec Emma. Elle aussi mangeait avec appétit. Il faut dire que ça faisait longtemps qu'on n'avait pas eu de la viande dans notre assiette.

En mangeant mon repas, je regardais tout le monde assis autour du feu. La nuit était douce et, pour une fois, sans pluie. Il n'y avait pas trop de maringouins. J'aimais ce mode de vie. J'aimais être ici. Pour vrai... J'ai serré la main d'Emma.

— J'suis content d'être ici avec toi. Je ne regrette rien!

Emma m'a souri.

— Pas même ton coup de hachette sur le mollet?

— Peut-être que lui, je m'en serais passé!

J'ai pris une autre bouchée de viande en écoutant Cerf entonner une chanson amérindienne pour célébrer notre chasse. C'était bon d'être en vie. Le reste du camp promettait d'être super! J'ai ramassé une plume de ma perdrix et je l'ai observée à la lueur du feu. Celle-là, je la gardais pour grand-maman.

Le Retour
à Montréal

L'espoir...

Après trois autres semaines d'activités bien remplies, je retournais enfin à la maison avec un bagage plus lourd qu'à mon arrivée au camp : une expérience de vie inoubliable et un sentiment de changement à l'intérieur de moi-même. La séparation avec la tribu était remplie d'émotion. Nous avions tous grandi – à notre manière – durant cette formidable expérience.

Malgré tout... Cerf allait beaucoup me manquer.

Tout ce que je voulais en descendant de l'autobus, c'était une poutine, un bain et voir grand-maman. C'était une question de survie ! Ma mère m'attendait toute seule sur le trottoir. Papa et Julie n'étaient pas là. Sûrement qu'ils n'avaient pas pu venir. Quant à Emma, son père l'attendait auprès de ma mère. Les parents de Josée et le père d'Édouardo étaient là aussi.

— Maman !

Je me suis jeté sur elle. J'étais certain de la casser tellement je la serrais de toutes mes forces.

— Mady ! J'me suis ennuyée de toi !

— Moi aussi !

Elle m'a regardé de la tête aux pieds.

— T'as maigri ! Est-ce que tu mangeais bien tes légumes, là-bas ?

J'ai éclaté de rire. Ma mère était à cent lieues de se douter de ce que j'avais appris et vécu au camp. Emma, qui me regardait par-dessus l'épaule de son père, m'a fait un clin d'œil.

— Maman... emmène-moi à la maison !

Elle m'a serré très fort et j'ai enfoui mon nez dans son cou... ça sentait chez nous.

Après avoir salué tout le monde, j'étais finalement chez moi. J'ai jeté mon sac par terre, soulagé, et j'ai regardé vers le salon. Grand-maman était étendue dans son lit d'hôpital. Elle avait l'air si petite, si maigre. J'ai senti une vague d'émotion dans ma gorge, comme une boule que je n'arrivais pas à ravaler.

Ma mère a remercié l'infirmière qui la veillait et lui a donné congé.

— À demain, madame Justine.

Ma mère s'est croisé les bras en soupirant de fatigue.

— Merci, Debby.

Cette dernière a hoché la tête tristement.

— Mady, tu devrais aller te débarbouiller avant…

J'ai acquiescé.

— De toute façon, elle dort… Je ne veux pas la déranger, alors… je… je vais me laver.

Ma mère a déposé un baiser sur ma joue.

— Tu ne peux pas savoir combien je suis contente que tu sois là.

J'ai serré sa main.

— Moi aussi, maman.

J'ai ramassé mon bagage et j'ai grimpé les escaliers. Ça faisait drôle de revenir à la civilisation. Il me semblait que j'étais protégé de tout, là-bas. De la maladie de grand-maman et de ce qui allait sûrement se passer bientôt.

J'ai jeté mon sac dans l'entrée de ma chambre et j'ai ramassé ce dont j'avais besoin pour ma douche. Je me suis enfermé dans la salle de bain et j'ai pris tout mon temps…

Souvenirs

Avant de descendre voir grand-maman, je voulais défaire mes bagages. J'ai donc déposé tous mes vêtements au lavage. Ma mère dirait que tout était bon pour la poubelle, mais pour moi, ça importait peu. J'ai pris mes mocassins et mon cahier à dessin dans mes mains.

J'ai tourné les pages une à une. Le feu de camp, Bikbi la louve, Couguar, l'initiation d'Emma à son nouveau totem, Cerf qui chantait, la lune, la rivière.... J'ai pris ma plume de perdrix dans mes mains. Je crois qu'on n'est jamais vraiment prêt à affronter le spectre de la mort. Cependant, on n'a pas toujours le choix. J'ai fouillé dans la poche avant de mon sac pour sortir le cristal en forme de cœur que j'avais ramassé dans la grotte. Il était pour grand-maman, tout comme la plume...

J'ai déposé mon cahier et je suis descendu voir ma grand-mère. Ma mère était en train de lui donner un peu d'eau avec une espèce de petit bâton au bout duquel une éponge bleue était fixée. Mes yeux se sont remplis de larmes. Elle n'était même plus capable de boire de l'eau dans un verre. C'était pénible à constater.

— Maman ?

— Oui, mon grand ?

— Est-ce que je peux rester seul avec elle ? Je voudrais lui parler.

Ma mère a acquiescé.

— Tu sais, Mady, je crois qu'elle nous entend. Prends-lui la main... je...

Ma mère a éclaté en sanglots et m'a laissé seul, debout devant le lit de grand-maman. Je ne m'étais jamais questionné sur la mort... sur ce qu'on pouvait vivre après. J'étais certain par contre que ça ne finissait pas là... mais où allait-elle aller ? Cerf m'aurait sûrement dit : « Elle va rejoindre le Grand Esprit. » C'était sans doute vrai... sinon pourquoi ? Pourquoi toute cette vie sur Terre ?

Je me suis avancé et je lui ai pris la main.

— Grand-maman ? C'est moi, Mady ! J'suis revenu !

Sa bouche a remué un peu. Elle m'entendait.

— Je t'ai apporté une plume... mais pas n'importe laquelle ! Une plume de perdrix que j'ai chassée moi-même... ben... avec Emma, mais quand même ! C'est toute une affaire, la chasse ! Je voulais te la donner parce que je trouve que tu es une battante, toi aussi ! Cerf, mon moniteur là-bas, m'a dit que le totem de la perdrix symbolisait la grande spirale sacrée, le cycle de naissance et de renaissance. Alors… ma plume va t'accompagner, grand-maman, à ton nouveau chez toi… Je te la dépose sur la poitrine… Et aussi… j'ai visité une grotte de cristal. J'ai rapporté celui-là pour toi. Il a la forme d'un cœur.

J'ai serré sa main et j'ai déposé à l'intérieur la roche dans laquelle le cristal en forme de cœur était incrusté. J'ai senti quelque chose de spécial. Comme un courant électrique. Grand-maman a respiré très fort et une larme a coulé sur sa joue, lentement, et ensuite plus rien. Son visage est devenu serein.

— Grand-maman?

Rien. Je pleurais à chaudes larmes.

— Grand-maman!

Ma mère est arrivée sur le seuil de la porte. Elle a tout de suite compris ce qui se passait.

— Mady! Oooooh! Maaaady!

Je me suis jeté dans ses bras.

— Maman… elle… elle…

— Je sais, mon chéri… Elle t'a attendu… elle t'a attendu jusqu'au bout…

À suivre

Mady
Titres de la collection

ISBN 978-2-89595-490-3

ISBN 978-2-89595-492-7

ISBN 978-2-89595-493-4

ISBN 978-2-89595-489-7

ISBN 978-2-89595-605-1